Het geheim van
de Hoffmans

Wilt u op de hoogte worden gehouden van de romans en literaire thrillers van uitgeverij Signatuur? Meldt u zich dan aan voor de literaire nieuwsbrief via onze website www.uitgeverijsignatuur.nl.

Alejandro Palomas

Het geheim van de Hoffmans

Vertaald door Johan Rijskamp

SIGNATUUR

2010

© 2008, Alejandro Palomas
Translation rights arranged by Sandra Bruna Agencia Literaria, SL.
All rights reserved.
Oorspronkelijke titel: El secreto de los Hoffman
Vertaald uit het Spaans door Johan Rijskamp
© 2010 uitgeverij Signatuur, Utrecht
Alle rechten voorbehouden.

Omslagontwerp: Wil Immink Design
Omslagfoto: Roberto Pastrovicchio / Arcangel Images / Imagestore
Foto auteur: Amador Toril
Typografie: Pre Press B.V., Zeist
Druk- en bindwerk: Koninklijke Wöhrmann, Zutphen

ISBN 978 90 5672 349 1
NUR 302

Dit boek werd genomineerd voor de VII Premio de Novela
Ciudad de Torrevieja 2008 in Spanje.

Mixed Sources
Productgroep uit goed beheerde bossen, gecontroleerde bronnen en gerecycled materiaal.
www.fsc.org Cert no. CU-COC-802528
© 1996 Forest Stewardship Council

Dit boek is gedrukt op papier dat het keurmerk van de Forest Stewardship Council (FSC) mag dragen. Bij dit papier is het zeker dat de productie niet tot bosvernietiging heeft geleid. Een flink deel van de grondstof is afkomstig uit bossen en plantages die worden beheerd volgens de regels van FSC. Van het andere deel van de grondstof is vastgesteld dat hiervoor geen houtkap in de laatste resten waardevol bos heeft plaatsgevonden. Daarom mag dit papier het FSC Mixed Sources label dragen. Voor dit boek is het FSC-gecertificeerde Munkenprint gebruikt. Dit papier is 100% chloor- en zwavelvrij gebleekt en wordt geleverd door Arctic Paper Munkedals AB, Zweden.

Het leven verstrijkt
terwijl je gemoed verbloemt
wat je hebt moeten missen

I

EEN ZEEARM

Ik kan niet geloven dat hij hier is, bij mij. Eergisteren geloofde ik hem niet toen hij me, aan de andere kant van de lijn, razendsnel antwoordde. Nee, op hem hadden we zeker niet gerekend.

'Ik neem de eerstvolgende vlucht,' zei hij. 'Ik wil erbij zijn.'

Voor één keer allemaal samen. Dat is ook een hele verrassing: dat de achterblijvers weer samenkomen. Hier. En ik kan niet ontkennen dat ik er blij om ben, ondanks de omstandigheden. Het is de dood die ons nu verenigt, maar het gezelschap doet me goed. Wij vieren hebben elkaar al zo lang niet gezien.

Smetteloos en stijlvol gekleed, met glanzend wit haar, een linnen pantalon en dure schoenen. Enkele uren geleden stond papa ineens op het pad bij de kerk met zijn koffer op wieltjes, als een toevallige toerist. Hij straalt kracht uit, de tijd en het lot zijn hem goedgezind geweest. Hij bezit nog altijd de lengte die hoort bij een rechte rug en een lichaam waarmee hij de artsen, het leven en zijn publiek blijft verbazen.

'Wat een stel boeven,' fluistert hij nu naast me, met zijn blik op de werkers die ploeteren met mama's graf alsof ze een reusachtige koektrommel proberen te sluiten. Ik voel zijn hand op mijn schouder. Het is niet het gewicht van de hand van een man van vijfentachtig jaar, en ook niet dat van een vader die juist een vijftien uur durende intercontinentale vlucht achter de rug heeft om op tijd bij de begrafenis van zijn ex-vrouw te zijn.

Zodra ik de aanraking van zijn vingers voel, bekijk ik die van mij, maar als ik mijn zwarte, afgekloven nagels zie, bal ik beschaamd mijn vuisten. Ik heb de nagels van een oude vrouw, gescheurd en onverzorgd. Daarom zat mama voortdurend op me te vitten. Dan klakte ze met haar tong en keek me verdrietig aan. De nagels van een bedelaar, zei ze erachteraan.

'Maar wat wil je? Als je in plaats van een pottenbakker een dochter had gekregen die tangolerares of verpleegkundige was geworden, dan was het ons totaal anders vergaan,' wierp ik tegen terwijl ik haar waste. Ze liet me begaan en dreef even weg op haar gedachten. Tot haar antwoord kwam, dat ik al kende. Altijd hetzelfde liedje. Alsof het een spelletje was.

'Als je was getrouwd toen het nog kon, had je niet je hele leven in de modder hoeven graaien,' prevelde ze binnensmonds. 'Maar ja, daarvoor is het nu natuurlijk te laat.'

Ze had gelijk. Jarenlang heb ik klei bewerkt, een leven tussen de klamme kou van de draaischijf en de verschroeiende hitte van de oven. Ik stortte me eerst op de klei en vervolgens op de verzorging van mijn moeder. Misschien, nu zowel mama als het aardewerk er niet meer is, ga ik eens tijd aan mezelf besteden. Alhoewel, misschien ook niet, misschien is het daarvoor te laat. Tegen sommige kwalen is nu eenmaal geen kruid gewassen.

'Wat een opluchting dat er geen pers bij is, schat. Dat moest er nog bij komen, dat die aasgieren hier rondvlogen,' benadrukt papa opnieuw. Met zijn gespeelde opluchting breekt hij de intense stilte die ons omringt.

Rechts van hem verschijnt de groene jas van Verónica, en naast haar het vriendelijke postuur van Lucas. Op een rij. Wij vieren op een rij voor het graf, als een kleuterklasje dat voor het bord op straf staat te wachten. Aan weerszijden van ons twee muurtjes met gevulde en lege nissen als twee slechte gebitten. Achter ons de zee.

Met een ingestudeerde, grootse beweging draait papa zich om naar de ingang.

'Dat we ze niet zien wil nog niet zeggen dat er geen journalisten zijn, of wel?'

Ik schiet in de lach en daarvoor ben ik hem dankbaar. Ik weet dat we dezelfde humor hebben en ik geef me aan hem over omdat ik weet dat ik in goede handen ben.

Dan gebeuren er drie dingen. Eén: we kijken elkaar aan. Twee: hij geeft me een knipoog. Drie: door zijn knipoog krijg ik een prop in mijn keel – maar ik laat geen traan, terwijl de kerkklokken luiden en de geur van natte bladeren om ons heen opstijgt. Het is lente en de zon verwarmt de aarde, die nog sopt van de druilerige regen van gisteren. Zoveel vrede.

'Nee, opa. Er is niemand gekomen ...' antwoordt Lucas op een ongelukkig moment, met een glimlach die geruststelling moet uitstralen. Zijn woorden gaan op in de lucht van de namiddag. Papa knippert met zijn ogen, zoveel onschuld kan hij niet geloven. Lucas doorziet meteen dat papa's vraag een eenvoudig trucje was om deze beladen stilte te doorbreken. Een list van een oude vos, meer niet. Hij schudt zijn hoofd en glimlacht nog eens, ingetogener ditmaal, bijna kinderlijk.

De mensen van de begrafenisonderneming hebben de deksteen eindelijk op het graf geplaatst en trekken zich terug. Bij het ijzeren toegangshek struikelt een van hen, de jongste, over een dode tak van een cipres en hij tuimelt over de traptreden bij de ingang.

'Wel godver...' lispelt hij. Dan krabbelt hij overeind en rent met hangend hoofd naar de auto. Papa knijpt even in mijn schouder en ik slik terwijl de auto wegrijdt en ons vieren eenzaam achterlaat met mama.

Dan, zoals gebruikelijk bij onze begrafenissen, gaan we

rond de enorme grafsteen staan en wachten we tot iemand iets zegt. Ik weet niet waarom we het op deze manier doen, of waar de gewoonte vandaan komt. We deden het bij de begrafenis van Fernando en Emma, al was alles toen anders. We waren allemaal een stuk jonger, minder goed bestand tegen het verdriet. Papa en mama waren gebroken door het verlies van hun kind, de ouders van Emma niet minder. Verónica en Lucas waren nog twee verlegen en afwezige kinderen, beroofd van hun vader en moeder. Toen was het ook lente, maar de lucht was zo grijs als zeewater. Er waren zoveel mensen op het kerkhof, dat het uren duurde voordat we alleen bij het graf stonden en aan onszelf toekwamen. Er moesten veel journalisten te woord worden gestaan, erg veel. Fernando Hoffman, de grote maestro van het toneel en het witte doek, zoon van 'De Stem', echtgenoot van Emma T., dochter van ..., nicht van ..., het onkreukbare, voorbeeldige stel, zo bescheiden, zo populair ... We gingen zitten en huilden tot we niet meer konden. Ieder voor zich, maar samen, zoals deze familie alles aanpakt.

'Wat een gespuis. Waar hebben jullie dat stelletje schooiers toch vandaan gehaald?' foetert papa. Hij werpt een dodelijke blik op de wegrijdende begrafenisauto. Vervolgens pakt hij zijn zakdoek en spreidt die uit over de grafsteen, waarna hij erop gaat zitten. 'Die ene die struikelde, de sukkel, die was minstens ...' stamelt hij binnensmonds, op zoek naar een woord dat zich verzet, tot het eruit glipt '... illegaal.'

Verónica kijkt hem afkeurend aan.

'Opa ...'

'... of Marokkaans. Of erger,' houdt hij vol, en hij trekt een vies gezicht. Lucas haalt een hand door zijn haar. Hij heeft donkerblond, sluik haar. Hij begint steeds meer op zijn vader te lijken. Op zijn leeftijd bewoog Fernando zich precies zo, met dezelfde tred, dezelfde groene ogen. En met dezelfde gebaren, die vooral.

'Nu even niet, opa. Alsjeblieft.' Het is de stem van Verónica, de scherpe stem van een fel meisje, die niet past bij de vrouw met volwassen trekken en vriendelijke lach in wie ze is veranderd. Verónica is zo'n vrouw die afwezig lijkt, die opgaat in iets wat ze niet deelt. Soms, als ze al reageert, stelt ze een vraag die duizend-en-een betekenissen in zich draagt, als matroesjka's gevuld met hagel. Zo is ze altijd al geweest.

Papa kijkt haar niet eens aan.

'Nu even niet, nu even niet,' bromt hij. 'Inderdaad, we zwijgen en kroppen onze woede op, terwijl de wereld uit zijn voegen barst van de stomkoppen en niemand daar iets van zegt. We staan erbij en kijken ernaar,' meent hij. Hij kijkt op en staart naar de wolkenflarden die de lucht bevolken.

Meer stilte. Het is april en dit is een piepkleine, eeuwenoude begraafplaats aan de rand van de Atlantische Oceaan. Blauw. Blauw zijn de hemel en de oceaan die deze familie al jarenlang van elkaar scheiden. Papa woont op de andere oever, in het verre Buenos Aires, waarvan ik me slechts een voorstelling kan maken, omdat ik vliegangst heb en niet voldoende moed kan verzamelen om hem te gaan bezoeken. Wij aan deze kant. Hij komt elk jaar een week lang over voor medisch onderzoek. Gebruiksklaar maken, zo noemt hij het. Zeven dagen vorstelijke renovatie in steeds dezelfde luxekliniek, die hij lachend verlaat als een verwarde vedette, de fotografen en persmuskieten ontwijkend die hij zelf heeft opgetrommeld. Daarna vertrekt hij weer. Zo gaat het al jaren, vanaf het moment dat hij mama verliet en een waterlinie aanbracht tussen zichzelf en wat hij achter zich wilde laten.

'Het spijt me, kleintje,' zegt hij berouwvol. 'Je hebt gelijk.' Verónica trekt een wenkbrauw op en kijkt me verwonderd aan. 'Wat kunnen die ongelukkige schepsels eraan doen dat ze zo ...' Hij haalt diep adem, kijkt naar de grond en vervolgt met de uitdrukking van een bedroefde ster: '... ongelukkig zijn.'

Zijn vlaag van vals medeleven galmt over het lege kerkhof. Het bevalt hem niet. Onze stilte bevalt hem niet. Daar wil hij zich niet aan overgeven. Hij kijkt me aan als een ontevreden kind en klemt zijn kaken op elkaar. Want de grote Rodolfo Hoffman heeft sinds mensenheugenis een hekel aan nogal wat dingen: dokters en publieke ziekenhuizen, bijvoorbeeld. En dat mensen niet lachen om zijn grapjes.

Lucas steekt een sigaret op. Het geluid van de aansteker haalt papa uit zijn cocon van zelfmedelijden. Geërgerd kijkt hij zijn kleinzoon aan en hij trekt een afkeurend gezicht.

'Hoe lang blijf je?' vraag ik. Ik probeer hem af te leiden, zoals je met een rammelaar een baby afleidt die op het punt staat een uitbarsting te krijgen omdat hij iets niet mag hebben.

Hij plukt een grassprietje en steekt het in zijn mond.

'Hoe lang wil je dat ik blijf?' vraagt hij verleidelijk, alsof hij rechtstreeks tot de camera spreekt.

Ik geef geen antwoord. Zijn plagerige antwoord bevalt me niet. Hij raakt een zere plek, dat moet hij toch weten.

'Twee dagen. Overmorgen vlieg ik terug,' zegt hij, serieus nu.

Ik voel een lichte steek in mijn borst. Het is een oude bekende van me, die steek. Zo snel al ...

'Maandag heb ik een gala, zo'n benefietmarathon van een televisiezender voor patiënten met een of andere kwaal. Daar mag ik niet ontbreken.'

Stilte. Eén, twee, drie seconden gaan voorbij. Ik sta op het punt hem te vragen of hij wat langer wil blijven, te zeggen dat twee dagen wel heel weinig is. Ik sta op het punt, jawel, maar ik zeg niets en hij slaat zijn ogen neer en doorboort mijn hand met de frons van zijn zware wenkbrauwen. Even later stelt hij een vraag.

'En je pols, hoe gaat het daarmee?'

Mijn pols, vraagt hij, om het maar over iets te hebben. De pols is tot daar aan toe, wil ik eigenlijk antwoorden. Het ergste is wat die met zich meebracht. Dat wat je niet ziet. Ineens hoor ik weer de landerige stem van de arts die een tijdje terug het gips eraf haalde en aan het licht bracht wat ik al vermoedde: 'De botten zijn niet goed aan elkaar gegroeid. Misschien moeten we een operatie overwegen.'

Ik ben niet teruggegaan naar het ziekenhuis. Sindsdien zwelt mijn hand op en slinkt hij wanneer hij er zin in heeft. Soms doet hij zo zeer dat ik hem er het liefst af zou hakken. Maar vandaag niet.

Wat de val met zich meebracht heeft de naam van een vrouw. De breuk vertaalde zich in pijn, de pijn in twee maanden gips, het gips in de behoefte aan hulp, en dat alles spande samen om Marianne het huis in te krijgen. Ja, het ergste heet Marianne, het neveneffect van een stom ongelukje dat met een sisser had kunnen aflopen maar me desondanks achtervolgt zoals zoveel van mijn typische verhalen, waarvan het wemelt op de lijst met Martina's fouten. Mama haatte haar al vanaf het begin, al was sinds papa's vertrek haar haat zo algemeen en wille-keurig dat dát niets betekende, en ik wilde niet naar haar luisteren. Ik had hulp nodig en Marianne gaf aan dat ze een geboren hulp was. Ik heb me vergist.

Toen papa me eergisteren belde om zijn komst door te geven, leek het me het beste hem op de een of andere manier voor te bereiden op een mogelijke ontmoeting met haar. Het ging stuntelig, maar ik redde me eruit. Ik liet tussen andere namen die van Marianne vallen, zo tussen neus en lippen door, alsof het niet van belang was. Ja, het werkte. Al was het maar voor een paar seconden.

'Marianne?' onderbrak hij me ineens.

Ik werd alert.

'Ja.'

'Mooie naam.'

'Ja.'

'Hoe lang heb je haar al?'

'Op aanraden van Matilde, sinds een paar weken. Maar nu mama er niet meer is en ik me zowat zelf kan redden, heb ik haar niet langer nodig. Bovendien, je weet toch dat ik liever geen vreemden in huis heb.'

Ik pakte de draad snel weer op en het gesprek verliep enkele minuten normaal.

'En die Marianne ... Is ze knap?'

Ik moest de hoorn bedekken om te voorkomen dat papa's krachtige radar me zou horen grinniken.

'Haal je maar niets in je hoofd, papa, ze zou je klein-dochter kunnen zijn.'

Hij gromde geërgerd.

'Ik was alleen maar nieuwsgierig.'

'Juist. Hoe dan ook, ik denk niet dat je haar zult ont-moeten. Ze is een paar dagen naar haar ouders. Haar moeder is ziek en ze heeft me toestemming gevraagd om enige tijd bij haar door te brengen.'

Ik loog. Ik loog om me eruit te redden maar omdat ik

een slechte leugenaar ben, vergeet ik altijd de details van mijn leugens. Ik moet me zo nu en dan knijpen om me de originele versies van mijn verzinsels te herinneren. In werkelijkheid heb ik Marianne naar Matilde gestuurd om het pension eens goed schoon te maken, want de combinatie Marianne-papa voorspelde op voorhand al weinig goeds. Matilde zal het me wel niet in dank afnemen, maar dat doet er nu niet toe. Er staat me nog zoveel te doen, ik moet nog zoveel hoofdstukken sluiten en besluiten nemen, dat de opluchting die ik voel nu ik van haar verlost ben, bijna alles rechtvaardigt.

Nee, ze is er niet. Marianne is er niet. Als het leven weer zijn normale gang gaat, zal ik met haar praten.

De hand, vraagt papa. Of hij pijn doet.

'Het verschilt van dag tot dag, zoals alle dingen.' Twee enorme meeuwen scheren over het kruis van de kerk, ze schreeuwen als een stel kleuters op weg naar huis. Als ik naar ze opkijk, zie ik Lucas met zijn verlegen gezicht naar de grond staren. Lucas is bezorgd geboren. Aanvankelijk dacht ik dat de donderwolk die hij sinds gisteren met zich meesleept, werd veroorzaakt door zijn verdriet om mama. Nu ben ik daar niet meer zo zeker van. Er zit iets in zijn gebaren, in zijn hele aanwezigheid en afwezigheid, wat hem verwijdert van het hier en nu, iets wat ons buitensluit.

Vertrokken. Lucas is vertrokken of niet aangekomen, en voorlopig heb ik niet het minste vermoeden waar ik hem moet zoeken.

Verónica trekt hem naar zich toe en pakt zijn sigaret af om een trek te nemen, terwijl papa met zijn tong klakt, zich opricht en zijn hand naar me uitsteekt.

'Help eens, lieverd.'

Ik begrijp hem niet. De glans in zijn ogen vertelt me

dat papa het toneel klaarmaakt voor een apotheose. Maar ik ben te vermoeid om het spel mee te spelen. Hij houdt zijn hand uitgestoken. Hij is niet van het soort dat snel de handdoek in de ring gooit. Ik evenmin. Ik ben de dochter van mijn vader. Dat zei mama altijd.

'Goed dan.' Hij laat een afkeurend geluid horen en klimt voorzichtig op de deksteen die het graf bedekt. Dan, met een souplesse die ik niet bezit, gaat hij op zijn hurken zitten en laat hij zich langzaam achterover op de oude steen vallen tot hij er languit op ligt.

Verónica en Lucas draaien zich om en staren hem aan. Zij moet eerst glimlachen, maar corrigeert zichzelf met-een.

'Opa ...'

Papa sluit zijn ogen en steekt zijn armen in de lucht.

'Wat is er?'

'Mogen wij weten waar je mee bezig bent?'

'Wat denk je?' vraagt hij met een frons van zijn witte wenkbrauwen.

Verónica hoeft niet lang na te denken.

'Ik denk niet dat je dat wilt horen.'

'Ik ben een en al oor,' antwoordt hij, en nu kijkt hij haar wél strak aan. 'Deze heer heeft altijd tijd voor een goede waarheid.'

De waarheid. Verónica slaat haar armen over elkaar. Van bovenaf gezien is de waarheid een oude gek in een wit pak die languit op mama's graf ligt. De waarheid is dat nu ik hem zo zie, de mist die de aankondiging van zijn komst twee dagen geleden opwierp, optrekt, en in het zwakke licht tekent zich een zekerheid af in mijn vermoeide geest. Nu ik hem zo bezig zie, alsof dit hem niet aangaat, lees ik tussen de regels van zijn aanwezig-heid en weet ik dat papa niet is gekomen uit verdriet om de dood van mama. De oude vos heeft een plan. Hij voert iets in zijn schild, een verrassende wending die geen van ons drieën nog bevroedt. Zijn verstand rust nooit.

'De waarheid is dat je op jouw leeftijd meer respect moet hebben voor het verdriet van anderen, verdomme,' antwoordt Verónica. 'En dat ik niet weet of oma je hier vandaag wel wilde hebben na al die jaren.'

Papa zucht en slaat zijn ogen op.

'Ach, wat weet jij er nu van,' mompelt hij, met een opgetrokken wenkbrauw. 'Wat weet iemand nu,' declameert hij. Hij imiteert een andere grote zanger met wie hij altijd heeft geconcurreerd en die hij niet kan luchten of zien. Dan trakteert hij ons op de lach van een man van de wereld en klopt hij op het graf, waardoor Lucas opveert. 'Twee dingen. Dat is wat ik doe, kleintje,' gaat hij verder tegen Verónica.

Twee dingen, zegt hij nog altijd met een frons. Papa wil spelen, en als hij speelt is hij gevaarlijk.

'Het eerste,' begint hij op gedragen toon, waarbij hij ons om de beurt aankijkt, 'is ...' Hij kucht en pauzeert. Nu is hij de zanger voor zijn toehoorders, wachtend op het applaus, vragend om aandacht. '... van de gelegenheid gebruikmaken om te controleren wat ik toch al wist.'

We kijken hem vragend aan. Nog een pauze en een zucht van ongeduld. Papa strekt zijn benen.

'Dat ik niet pas.'

We kijken elkaar aan. Alle vier. Het is waar: zijn voeten steken over de rand van het graf als over een matras van één meter tachtig. Hij steekt ze omhoog zodat we de kousen van kunstzijde zien en reikt naar zijn scheenbeen.

'Hierlangs,' zegt hij. Hij wijst naar zijn kous. 'Als ik sterf, moeten ze me hierlangs afsnijden.'

Verónica moet toch glimlachen en Lucas lijkt zich te concentreren op wat hij voor zich ziet. Hij brengt een hand naar zijn voorhoofd en raakt het aan met een nerveus gebaar. Dan moet ook hij glimlachen. In zijn glimlach zit een breekbare zachtheid, net als in die van zijn moeder. Dat en andere dingen.

'En het andere?' vraagt hij ineens, waarmee hij ons allemaal verrast. Zelfs zijn opa.

Papa kijkt hem aan en in zijn ogen lacht iemand die ik in tijden niet heb gezien. Een van zijn versies die zich minder vaak vertoont.

'Het andere wat?'

'Het tweede. Je zei dat er twee dingen waren,' gooit Verónica er ongeduldig uit.

Papa steekt van wal.

'Het andere is dat deze oude man erg moe is,' zegt hij met een nieuwe zucht, steunend op een elleboog tot hij eindelijk overeind zit. Dan laat hij een boertje als een gentleman en grijpt hij met een grimas van pijn naar zijn zij, zo vluchtig, zo eenvoudig gecorrigeerd, dat ik die beweging niet kan plaatsen. Ineens is hij ouder geworden. 'En dat ik soms niet weet wat ik moet doen om het leven minder zwaar te maken.'

Waarheden. Papa is beter wanneer hij acteert dan wanneer hij besluit zichzelf te zijn, want als hij niet acteert, valt hij ons rauw op ons dak als een zak achtergehouden brieven die niet altijd goed nieuws bevatten. Dan komt de menselijke Rodolfo tevoorschijn, in al zijn klunzigheid. En voor zijn woorden, voor zo'n ruwe, onbewerkte bekentenis, trekken wij drieën ons terug in de werkelijkheid van de namiddag, keren we terug naar het kerkhof, naar mama onder de grond, naar het puur fysieke. Een golf van heimwee naar haar overspoelt me en voor het eerst sinds ik haar zag sterven in het ziekenhuis, ga ik gebukt onder haar afwezigheid en begrijp ik dat ik haar niet meer zal zien. Nooit meer. Dat er vanaf nu alleen nog maar afwezigheid is: de afwezigheid van haar slechte humeur, van haar verwrongen karakter, van haar droevige blik, maar het is en blijft afwezigheid.

Verónica kijkt me aan en balt haar vuisten. Zij houdt niet van openhartigheid, al helemaal niet wanneer het om haar eigen familie gaat. En niet van verrassingen.

'We moesten maar eens gaan,' zegt ze met een snijdende stem. Ze loopt in de richting van het ijzeren hek. 'Ik heb tegen pater Julián gezegd dat ik hem de sleutels vóór zevenen zou teruggeven.'

'We moesten maar eens gaan, geloof ik,' zucht Verónica. Ze voelt zich opgelaten en zo zie ik haar graag. Zo taai, zo pittig en zo onaangedaan. Ze is naar de begrafenis van haar grootmoeder gekomen, maar is slechts lijfelijk aanwezig, slechts geestelijk. Heeft dat kind dan verdorie geen hart?

Ik verroer me niet en blijf boven op het graf zitten staren naar mijn kleindochter, die nu resoluut op weg is naar de uitgang. Als ik mijn mond opendoe, kromt ze haar rug als goed hout in de kou.

'En ik geloof dat ik er niet van hou wanneer anderen voor mij beslissen, meisje.'

Plotseling blijft ze stokstijf staan. Dan haalt ze haar schouders op, legt een hand in haar nek en dient me van repliek.

'En dat komt volgens mij omdat jij al te lang niemand hebt die je wat opdraagt, opa. Misschien til je daarom zo zwaar aan het leven.'

Een diepe stilte valt over het kerkhof. De twee meeuwen op de klokkentoren van de kerk loeren naar ons terwijl er een wolkje voor de zon schuift. Verónica houdt zaken voor me verborgen die ons – hoezeer zij zich daar ook tegen verzet – de laatste jaren dichter bij elkaar brengen. Ze zoekt mij. Mijn kleindochter zoekt me maar ze weet het niet. En dat is prima.

Het is prima, want ditmaal mogen ze me vinden. Zij, en de anderen ook.

'Pater Julián … Is dat nog dezelfde pater Julián?' vraag ik haar met knipperende ogen.

Ze heeft een hekel aan domme vragen. En aan haar tijd

verdoen met iemand die dat, naar haar oppervlakkige mening, niet verdient. Op een dag zal ze inzien dat ze zich vergist.

'Natuurlijk,' antwoordt ze. 'Hoeveel ken jij er dan?'

'Ach, kind, hoe moet ik dat weten. De wereld zit vol met paters die Julián heten, het blijkt maar weer dat je weinig reist. Als jij je leven niet zou doorbrengen in die kooien, met je apen en die circushippies die bij je werken, dan was je er beslist meer dan één tegengekomen.'

Martina knippert met haar ogen en wendt haar gezicht even af. Te oordelen naar hoe ze me aankijkt, zou ik zeggen dat ze me bestudeert, dat ze twijfelt aan mijn aanwezigheid hier. Mijn dochter voelt aan dat er iets niet klopt, en dat helpt me. Ik lees vragen in haar ogen die zij zich nog niet stelt. Wat wil je, papa? Waarvoor ben je gekomen? Waarom? Dat zijn de boodschappen die ze nog niet heeft onderschept. Maar dat komt nog wel. Bij Martina duurt alles wat langer, maar het komt.

Ik weet niet hoeveel pijn mijn antwoorden zullen doen. En ook niet of de waarheid die ik bij me draag nog op tijd komt.

'Nee, opa, geen apen,' zegt Verónica met vuur in haar ogen. 'Het zijn primaten. En het zijn verblijven, geen kooien,' bijt ze me toe.

'Ja, meisje, als jij het zegt.'

'Nee, niet als ik het zeg. Dat zijn het, opa, en niet omdat ik het zeg. En het zijn ook mijn mensen, dus pas op, laat hen erbuiten.'

'Wij zijn jouw mensen, kindje. De apen en jouw werk zijn jouw roeping, vergis je niet.'

Ze is geraakt. In haar gevoel. Ik hou ervan haar zo levend te zien.

'Mijn familie?' Ze laat een kort lachje horen dat klinkt

als geblaf. 'Opa, volgens mij houden wij er verschillende opvattingen over familie op na. En volgens mij ben jij niet de aangewezen persoon om mij nu de les te lezen ... Ach, wat maakt het ook uit.'

Wat maakt het ook uit, zegt ze, en ze hult zich weer in haar schulp van strak gesloten kaken. Prima. Er is genoeg tijd. Tijd is er altijd genoeg voorhanden. Ik laat enkele seconden voorbijgaan en kom weer terug op pater Julián.

'Dus die man leeft nog altijd?'

Martina knikt.

'Natuurlijk.'

Ik hou een hand voor mijn gezicht. Deze wind bevalt me niet. Hij brengt mijn haar in de war. Die verrekte pater Julián.

'Wie had dat gedacht. Na al die jaren. Het zal wel aan de hosties liggen. Ik las ergens dat hosties zestig procent van de dagelijkse hoeveelheid vezels bevatten.' Ik kijk Verónica weer aan. 'Dat die oude dwaas nog altijd leeft ... dát mag gerust een wonder heten.'

Ze houdt haar kaken stijf op elkaar. Ze is zo gespannen dat ik het bloed in haar aders zie kloppen.

'Wonder? Niks geen wonder, opa. Jij bent minstens vijftien jaar ouder dan hij!'

Toe maar. Verónica schiet erop los omdat ze denkt dat ze weet waar ze me moet raken. Van jongs af aan heeft ze van deze familie geleerd dat zaken die worden verzwegen de gevoeligste zijn, en niet lekker liggen. Ze meent te weten dat ik niet tegen grapjes over mijn leeftijd kan, want ze houdt me voor een van die geflipte sterren met een obsessie voor het verstrijken van de tijd, die menen dat ze hun leven met enkele jaren kunnen verlengen. En ze schiet omdat ze woedend is. Ze denkt dat ze woedend is op mij, en dat ze me uit mijn tent kan lokken zodat ze me vervolgens kan uitschelden. Ze is leeg vanbinnen.

Maar ze vergist zich. In de grond van de zaak niet, maar op dit moment wel. We zijn oud wanneer onze leeftijd ons toestaat te spelen met onze zwakheden. Als een bejaarde niet reageert op een gemene opmerking, komt dat misschien vanwege zijn slechte gehoor, zijn gebrekkige aandacht, of domweg omdat hij te sloom is. We verzetten ons met onverschilligheid, niet met het zwaard. Ik laat haar dolkstoot in de lucht hangen en ga verder met waar ik mee bezig was. Martina wacht op me.

'En waarom is die sukkel niet bij de begrafenis aanwezig?'

'Nou, omdat mama heeft gezegd dat ze er geen mis en ook geen priester bij wilde,' legt ze uit. 'Alleen ons.' Ze kijkt even naar de grond bij het uitspreken van 'ons'. Ik weet dat Constanza mij daar niet toe rekende en dat Martina dat ook weet, maar dat doet er niet toe. Constanza is er niet meer en dat heeft zo zijn voordelen.

'Aha.'

Ik staar naar mijn schoenen en beweeg mijn mond als een van die demente bejaarden die op bankjes in steden overal ter wereld op hun tandvlees zitten te kauwen. Dan krab ik aan mijn hoofd.

'Wist je dat ze pater Julián, voordat hij naar het dorp kwam, uit een stel scholen hebben gesmeten omdat hij niet van de kinderen af kon blijven?'

Martina knippert verbaasd met haar ogen.

'Dit is niet het moment voor flauwekul, papa.'

'Flauwekul? Hoe denk je dat hij anders in deze uithoek verzeild is geraakt? Ze hebben hem eruit gesmeten, verbannen. Heeft je moeder dat nooit verteld?'

Verónica knapt zowat uit haar vel van ongeduld. Aan

haar houding valt de ergernis af te lezen waartegen ze
zich verzet, omdat het draaiboek van deze middag dat ze
in gedachten had geen rekening hield met mijn aanwezigheid. In de kantlijn van dat draaiboek had ze enkele
opmerkingen genoteerd in dat pietepeuterige en perfecte
handschrift van haar: 'ingehouden drama; alleen wij
drieën, Lucas, tante Martina en ik; terughoudend met
verdriet; we zullen de middag samen doorbrengen in het
grote huis; een strandwandeling maken; uitrusten; tante
Martina helpen bij het uitzoeken van oma's spullen?;
Josué bellen, de zoon van Mateo, om hem minstens tweemaal per week de tuin te laten bijhouden; de bijeenkomst
met de commissie op dinsdag en het bezoek van de mili-
euambtenaar voorbereiden. Uitrusten (nogmaals).'

'Nee, papa. Dat heeft ze me niet verteld, omdat het niet
waar is.'

'Toe maar.'

'Waar haal je dat vandaan?'

'Nog mooier. Hoezo, waar haal je dat vandaan? Je
hoort niet zo te twijfelen aan het woord van je vader. Dat
beledigt me.'

'Maar jij liegt meer dan je praat,' sneert Verónica.

'Ik heb het gelezen op in-ter-net,' bijt ik haar toe. Ik be-
nadruk elke lettergreep alsof ik een toonladder oefen
achter de piano. Onze blikken ontmoeten elkaar von-
kend boven het graf als een felle regenboog. Wat lijken
kleindochter en grootvader toch op elkaar, hoor ik Martina denken. En toch zo verschillend. 'Op de Joehoe.'

'Op internet?'

Verónica bijt op haar onderlip en probeert niet te lachen. Ik heb haar voor me gewonnen, al is het maar voor
even.

'Ja, meisje. Op dat ding van Billy Elliot.'

Ze trapt erin. Braaf meisje.

'Yahoo, opa. Het is Yahoo en Bill Gates,' verbetert ze op dezelfde toon als waarop ze haar apen toespreekt als die niet eten.

'Ook goed. Een stel oplichters, dat zijn het. Net als Julio Iglesias. Of nog erger. Net als Los Panchos.'

Ze kijkt me vragend aan.

'Je wilt niet weten hoeveel schade die boleropiraten tot op de dag van vandaag hebben aangericht. Ze lijken wel Chinese winkeltjes. Als er een sterft, komen er twee voor terug. Een fabriek voor freaks.'

Ze wil iets zeggen, maar ze is van haar stuk gebracht. Ik geef haar geen tijd.

'Zoals patertje Julián. Schrijf maar eens "Julián priester viespeuk kindverslinder" op de Joehoe. Dan kom je hem tegen. Met foto en de opmerking "wordt gezocht" erbij. Zoals in het wilde Westen. Een behoorlijk stinkend zaakje.'

Voor elkaar. Ze laat haar hoofd hangen en geeft zich stiekem gewonnen, zoals ik Martina zich ontelbare malen heb zien overgeven aan deze misplaatste humor die ik met de jaren heb leren beheersen. Ik zie dat haar voorhoofd zich ontspant en helemaal glad wordt; ze geeft zich over aan het jochie dat in deze oude zot huist en de zwakste plekken uitkiest om tegenaan te schoppen, het jochie aan wie tot nu toe niemand weerstand kon bieden en dat me zo vaak heeft gered. Ze lacht, mijn kleindochter lacht en haar lach klinkt blikkerig, timide. Ontwend. Een lach ondanks zichzelf, dat is het. Als ik haar zo zie, zo ontspannen, knapt er iets in me, omdat ik me ineens realiseer hoe mijn kleintje is wanneer ze niét vrolijk is. En omdat ik besef dat degenen die van haar houden nog bergen werk aan haar hebben.

Ik lach met haar mee. Ik geniet zoveel van de aanblik van mijn lachende kleindochter, dat het me bijna ontgaat dat Martina moet slikken om haar emoties de baas te blijven, die ze tot nu toe zo goed in de hand had. Deze hele familie is zeer bedreven in het onderdrukken van haar emoties. Nu geschrokken. En dit alles – Verónica's lach, Martina's dichtgeknepen keel en de zon die de wolkenflarden uiteenjaagt hoog in de lucht – gebeurt buiten het blikveld van Lucas en zijn grote ogen. Lucas die is ontwaakt uit zijn diepe verdoving en die nu bij ons naast het graf komt staan. Eenmaal bij me, gaat hij zitten en kijkt hij met een schuin oog naar Martina. En zo blijft hij een moment zitten, niet compleet buitengesloten van onze lol, maar wel afwezig, bezig met iets wat door zijn hoofd maalt en op het puntje van zijn tong ligt.

Als hij ten slotte spreekt, breekt onze lach dwars doormidden en valt hij op onze hoofden.

'Mag ik je iets vragen, opa?'

Dat hij me toestemming vraagt om te spreken, bezorgt me een krampaanval van schaamte en berouw. Ik ben al die jaren zo ver weg geweest, zo verwijderd. En in zijn ogen lees ik dat wat ik bij me draag alles kan veranderen, misschien met alles kan afrekenen. Dan is er geen weg terug.

'Natuurlijk, jongen. Vraag maar raak.'

Hij zucht licht voor hij begint te praten.

'Papa was ook erg lang, toch?'

Verónica staat nog altijd met haar rug naar ons toe. Ik laat me opnieuw op het graf zakken en strek mijn hand uit naar de arm van mijn kleinzoon. Hij blijft naar zijn tante kijken, al zou ik zweren dat hij haar niet ziet.

'Ja, lieverd. Bijna even lang als opa en jij,' antwoordt Martina.

Hij zegt niets. Plotseling wordt het zo stil dat zelfs de tijd wel lijkt te ontbreken op het kerkhof, en we worden opgeslokt door een vacuüm.

'Maar hoe paste hij er dan in?'

Martina kucht. Verónica veegt de vreugdetranen weg, die door de schuchtere vraag van haar broer ineens niet meer stromen.

'Als hij even lang was als wij,' gaat Lucas verder, en nu kijkt hij naar mij, 'hoe hebben ze hem er dan in gekregen?'

Hier komen we niet gemakkelijk uit. Dat merk ik aan de ogen van Verónica en de kuchjes van Martina. En ik weet ook dat zij weinig kunnen bijdragen, aangezien Lucas' vraag slechts het topje van de ijsberg is, want deze jongen is niet op zoek naar zijn stem, maar naar antwoorden. Te veel. Hij is niet compleet.

Maar we moeten eruit komen, want als een man als Lucas iets vraagt, dan doet hij dat vanuit zijn jeugd, vanuit een capsule van onschuld en puurheid waar nog geen barst in zit en die je moet behandelen als zijde. Daar moeten we voorzichtig mee omspringen. Ik verzwijg de waarheid voorzichtig, zoals ik dat heb gedaan sinds die ene nacht en alles wat daarna kwam.

'Doden krimpen een stukje, jongen,' hoor ik mezelf zeggen met de stem van een ouwe betweter. 'Zoals oude mensen. Daarom worden we zwakker en kleiner naarmate het einde nadert. Als we leven, bukken we ons om nergens tegenaan te stoten. Als we dood zijn, om in het graf te passen.'

Als we leven, om nergens tegenaan te stoten. Als we dood zijn, om in het graf te passen, zegt opa. Naast me knippert tante Martina met haar ogen en slikt ze. Ik steek een sigaret op en denk na over opa's uitspraak.

'Je moet niet roken,' laat hij me weten. Hij haalt me uit mijn concentratie. 'Is roken niet verboden in jouw dansgezelschap?'

Ik blaas de rook uit door mijn neus en glimlach. Opa probeert het gesprek over een andere boeg te gooien. Hij houdt niet van vragen.

'Nee.'

'Dat zou het wel moeten zijn. Ten minste voor de vedetten. Ik begrijp niet hoe jullie al die uren repeteren doorstaan met zoveel rook in jullie longen. Ze zouden boetes moeten uitdelen, zoals bij wielrenners.'

'Niet overdrijven. Om eerlijk te zijn gaat het er behoorlijk relaxed aan toe bij de moderne dans, helemaal in gezelschappen als die van Kopenhagen. Maar bij het Royal preekten ze hel en verdoemenis over tabak. Ze dramden maar door over dat onderwerp. Nou, daarover, en over genoeg andere zaken.'

'Dat wist ik al.'

Ik kijk hem aan.

'Dat heb ik gezien in *Billy Elliot*.'

Ik moet lachen. Ik lach en hij lacht mee. Als ik hem zo hoor lachen krijg ik pijn in mijn borst, want nu is opa een compleet andere man dan wanneer hij niet lacht. En omdat zijn lach die van papa is. Zo herinnerde ik me die lach niet.

En terwijl de lach uitdooft en ik mijn vraag herkauw,

gaat tante Martina weer bij zijn voeten zitten, met haar rug naar ons toe gekeerd, en Verónica komt er ook bij en neemt plaats tussen de knieën van onze tante. Van bovenaf gezien zijn we een doorsneegezin dat geniet van een picknick op een zondag in april. Ondertussen verscheurt het doffe gebrul van de Atlantische Oceaan de dag als een zandstorm. Ineens voel ik me doodop. De doorwaakte nachten van de afgelopen dagen beginnen me op te breken en de jetlag trekt aan opa, zodat we indommelen in de zon. Morgen, bij goed weer, zouden we over het strand kunnen wandelen, denk ik, niet in staat me te bewegen. Daar heb ik best zin in.

'En jij?'

Dat is mijn stem en ook mijn vraag. Niet volledig, maar oprecht.

Opa opent zijn ogen.

'Ik?'

Aan zijn voeten aait Martina over Verónica's hoofd, al zeggen ze niets. Verónica laat verstrooid een rode geranium door haar handen gaan als een bidsnoer.

'Ja.'

De vraag is niet helemaal overgekomen en hij wacht. Hij gunt me iets meer tijd.

'Waarom ben jij niet gekrompen?'

Zijn blik neemt voorzichtig mijn nieuwsgierigheid op. Die behoedzaamheid ontroert me.

'Omdat ik hangend aan een haakje slaap. Zoals vampiers,' zegt hij met een ondeugend gezicht.

'Kom op, opa. Even serieus.'

Hij wordt serieus en wendt zijn blik langzaam naar me toe. Hij bedelft me onder zijn vijfentachtig jaar levenservaring.

'Wat wil je weten, Lucas?'

Mijn glimlach valt op de natte aarde van de begraaf-plaats. Mijn nekharen gaan overeind staan, mijn goedge-trainde spieren snijden de bloedtoevoer af om tijd te winnen. Zijn toon is me niet ontgaan. Zijn blik evenmin.

'Ik zou het niet weten, opa.'

Bij zijn voeten verbleekt Verónica tot al het bloed uit haar handen is weggetrokken. Een verwrongen steeltje is alles wat ze nog tussen haar vingers heeft. Opnieuw schuift er een wolk voor de zon, of het moet de zon zijn die zich verbergt.

'Dat is een goed begin,' zegt hij.

Ik begrijp het niet en dat merkt hij.

'Dat je het niet weet, bedoel ik.'

Ik probeer een lach op mijn gezicht te toveren. Het lukt maar half.

'Zou je denken?'

'Op jouw leeftijd meende ik alles al te weten.'

'Dus?'

'Dus niets. Het kostte me jaren om erachter te komen dat kennis je niet helpt om te leven. Het helpt je om za-ken te rechtvaardigen en te verklaren. En om te begrij-pen, ook om te begrijpen. Maar niet om te leven.'

Ik druk mijn sigaret in het gras en doof hem met mijn voet. Daarna plant ik mijn ellebogen op mijn knieën en leg ik mijn kin in mijn handen.

'Jouw ouders hielden veel van je, jongen. Al weet ik niet of je dat wilde weten.'

Ik verroer me niet. Ik knipper niet eens met mijn ogen. Niets.

'Dat wist ik al.'

Hij slaakt een zucht en gaat verzitten op het harde graf.

'Nee, dat wist je niet. Dat wist je niet, want daar was geen tijd voor. Je kwam niet op tijd. Je verstand weet het, maar je hart kan het zich niet herinneren. En het geheugen voedt zich met het hart, niet met kennis.'

Hij haalt diep adem en balt zijn vuisten. Ik keer weer terug naar ons beiden.

'En zal het altijd zo gaan?'

'Hoe?'

Ik zoek automatisch nog een sigaret, maar denk ondertussen goed na.

'Alsof alles ophoudt voordat het begint. In de lucht. Zoals wanneer ik draai op het toneel en op een gegeven moment niet meer weet wat voor of achter is, wat al geweest is en wat nog komt. Dan durf ik niet te stoppen, want als ik stop is alles weer zoals het daarvoor was. Hoeveel pirouettes ik ook maak, ík blijf degene die ronddraait op dezelfde plek. Het leven blijft onaangedaan. Misschien ben ik niet helemaal duidelijk.'

Hij sluit zijn ogen.

'Daar heb ik geen antwoord op, jongen.'

In mijn ooghoeken zie ik Verónica's silhouet overeind komen. Ook tante Martina gaat staan. We moesten maar eens gaan, inderdaad.

'Waarom niet?'

Tante Martina en Verónica begeven zich arm in arm naar de uitgang. De schreeuw van een meeuw vermengt zich met opa's woorden.

'Omdat ik sinds de dood van je vader ook op zoek ben naar dat antwoord.'

Plotseling komt de zon weer tevoorschijn. Hij prikt in mijn huid en verwarmt de lucht om me heen. Opa komt overeind en gaat op de rand van het graf zitten met zijn voeten in het gras terwijl ik naar het hek wandel. Zijn hartelijke woorden bereiken me als een stem in *mute* en knakken mijn rug, ze openen me geluidloos als een scalpel.

'Misschien zou het me helpen als wij samen op zoek gingen naar dat antwoord.'

Ik draai me niet om voor een antwoord.

Ik ben sprakeloos.

Zij tweeën gaan voorop. Lucas zeult opa's koffer achter zich aan over het natte pad, door bladeren, stukken boomschors en zaden. Het is jaren geleden dat ik ze samen heb gezien, praktisch niet vanaf het moment dat opa vertrok en naar Buenos Aires verhuisde. Al ligt dat aan mij, want ze kwamen elkaar weleens tegen, hebben ze me onafhankelijk van elkaar verteld. Maar hun ontmoetingsplaatsen waren nooit uitgekozen, altijd toevallig: het reisschema van de een kruiste dat van de ander in de hoofdsteden van de wereld, bij diners na een optreden, tot elkaar veroordeeld door hetzelfde beroep, opa als zanger en zijn kleinzoon als danser. Twee werelden die elkaar raken. Meer was het niet.

Naast me loopt tante Martina met haar arm in de mijne. Ze laat haar hoofd hangen en masseert haar opgezwollen hand met haar gezonde hand. Zo van opzij zou je haar kunnen aanzien voor iemand van het platteland: een broek met zakken propvol vergeten spullen, een open vest op een verschoten grijs T-shirt, mocassins met rubberen zolen voor speciale gelegenheden, en gemillimeterde grijze haren. Om haar uiterlijk heeft ze nooit wat gegeven, en dat werd nog minder toen ze haar huis op Ibiza verkocht om hier de zorg voor oma op zich te nemen. Daar geeft ze niets om en om een heleboel andere zaken evenmin: wat ze zeggen, wat ze denken, wat er gebeurt aan de andere kant van de stenen muurtjes van de tuin, de kletspraatjes die tot voor kort uit het dorp kwamen en waar nu niemand meer acht op slaat, omdat hier afgezien van Matilde en haar pension niemand meer is.

Enkele meters verderop lacht Lucas vrolijk met opa. Opa slaat een arm om Lucas' schouders. Die laat het zich welgevallen.

'Klopt het van de sleutel?' vraagt tante Martina.

Ik kijk haar vragend aan.

'Dat we die moeten teruggeven aan pater Julián.'

'Ja.'

'Zullen we dan langs de kerk lopen?'

Op zich is het een domme vraag, want de weg naar het grote huis voert langs de ingang van de kerk. Ik knik en kan een lichte ergernis niet onderdrukken. Soms vraag ik me af waar deze vrouw verdorie zit met haar hoofd.

'Ik had zo graag het graf bedekt met bloemen ...' zegt ze ineens zonder op te kijken. Nu weet ik waar ze zit met haar gedachten en het spijt me dat ik zo snel over haar heb geoordeeld. 'Voordat ... vooruit dan, voordat papa vertrok, was ze er dol op, vooral op lelies. Gele. Kun jij je dat nog herinneren? Het huis stond er vol mee.'

Ik weet het nog, ja. Oma, haar lelies en een heleboel andere dingen waar we nooit meer over spreken en die ik niet begrijp.

'Ja, dat kan ik me nog herinneren.'

'Maar toen papa wegging, was het gedaan met bloemen in huis. Mama beweerde dat de lelies haar aan hem deden denken.' Ze kijkt op en stuit op de gevel van de kerk, die we bijna hebben bereikt. Opa en Lucas komen langzaam dichter bij de open deur, in gedachten verzonken. 'Nu ik erover nadenk,' gaat tante Martina verder, 'geloof ik dat alles haar aan papa herinnerde. Dat heeft ze niet gezegd, hoor, niet met zoveel woorden in elk geval. Maar alles was een versluierde toespeling op hem en op ... nou ja, andere dingen.'

Andere dingen, zegt ze. Ik weet wat ze onder meer

bedoelt met die 'andere dingen'. Wij weten allebei dat over de zogenaamde 'andere dingen' niet wordt gesproken, dat we ze negeren, en dat iedereen heeft geprobeerd ze te begraven, want waarom zou je het daar nog over hebben? 'Andere dingen' is mama. Een verboden naam in het bijzijn van oma sinds het ongeluk Lucas en mij in de ruimte liet bungelen als twee marionetten met losse touwtjes. Later gold het verbod ook opa. Rodolfo en Emma. Weg met die twee. Verbannen uit het leven en uit de herinnering. De een nog in leven, de ander onder de sluitsteen van het verleden. En wat niet wordt genoemd, bestaat niet, want het heeft geen naam. De jaren zouden ons ervan overtuigen dat ze nooit hadden bestaan. Logisch, toch?

Ik ben moe, moe van al het lopen over de stoep van mijn verleden met Lucas in mijn armen. Het leek wel een mijnenveld. Moe van het zwijgen, van het vechten. En van het jarenlang voor Lucas voorwenden van een familie die niet bestaat.

'Andere dingen?' vraag ik, terwijl ik ineens stil blijf staan op het grindpad. Tante Martina trekt aan mijn arm. 'Welke zoal?'

Haar arm verstijft. Een paar meter verderop kijkt opa onze kant op. Hij lacht naar ons, maar hij hoort ons niet.

'Goed …' stottert tante Martina, 'je weet toch hoe je oma was. Er waren dingen, mensen …'

Uit ergernis schiet er een steek door mijn buik. Ook de woede dient zich aan, een blinde, akelige woede waarmee ik heb leren leven. We zijn op een mijn gestapt en hij is in ons gezicht ontploft.

'Mensen? Welke mensen?'

Ze krimpt ineen. Tante Martina krimpt ineen. Het hier en nu is met een mitrailleur doorzeefd en ze kan zich nergens verstoppen, gekluisterd aan mijn arm als een boef aan zijn ketting.

'Ach, kindje, ik weet niet …' begint ze. Haar vrije hand schudt nerveus heen en weer en ze kijkt me aan met een mengeling van haat en angst in haar ogen waarvan ik niet wist dat ze die in zich had. Het zijn de ogen van een verschrikt dier, de ogen van iemand die niet gelooft dat er iets goeds van buitenaf kan komen. Ze kijken me aan zoals ze ontelbare keren oma aankeken, altijd bedacht op een gemene opmerking, een vervelende opdracht, een zeurderig 'Dat de dood me maar snel komt halen, meisje. Ik verdraag dit niet langer.' En met 'dit' bedoelde ze ook de naam van haar dochter, die bleef en zich daarin vergiste. De dolkstoot van oma's 'Ik verdraag dit niet' zei nare dingen: ik verdraag geen leven zonder mijn zoon. Ik wil niet leven als een oud wijf zonder echtgenoot. Ik kan het niet verdragen dat ik niet het leven leid dat ik me had voorgesteld, dat ik had verdiend. Ik kan niet tegen een leven met jou, meisje, of tegen jouw leven bij mij, want dat van jou is geen haar beter. De restanten. Dat wat niemand wil. Dát is jouw leven, mijn arme Martina.

Nu zie ik in die ogen ook een schaduw, die zich boven de jaloerse figuur van oma verheft, die hen beiden inpakt en met elkaar laat versmelten. En ik zie een magere en oppervlakkige Verónica die tante Martina laat schrikken, die de zwakke nog verder verzwakt. Maar dat wil ik niet, niet op deze manier. Dan ga ik kapot. Dan gaan we allemaal kapot.

Ik realiseer me ineens dat mijn tante al die jaren in de schaduw van oma heeft gestaan, dat ze tot haar veroordeeld was, en dat ze nog niet begrijpt dat oma er niet meer is. Haar hoofd weet het wel, want dat bevat de feiten die het bevestigen. Maar de informatie is nog niet doorgedrongen tot haar hart. Op dit moment leeft ze met twee Constanza's, met de dode versie in haar hoofd en de levende in haar gevoel. Het is nog te vroeg om meer van haar te vragen. Ze heeft tijd nodig.

'Toen ik besloot om me hier met mama te vestigen, was ik ervan overtuigd dat de tijd alle wonden zou helen,' zegt ze. 'De eerste maanden waren vreselijk. Mama sprak geen woord, en al helemaal niet tegen mij. Geen boe of bah. Niets. Nog geen zucht. Ze kwam haar bed niet uit en keek de hele dag uit het raam. Soms dacht ik dat ze niet meer wilde leven.' Ze kijkt naar de zee, die alles aan de andere kant van de weg blauw kleurt. 'Ik wist toen nog niet dat die maanden van stilte de beste waren die we samen hebben doorgebracht. Dat het ergste nog moest komen.'

Ik kijk ook naar het noorden. De wind brengt een voorraad zout met zich mee die alles uitdroogt. Tante Martina strijkt met haar gezonde hand over haar gezicht en likt aan het puntje van haar wijsvinger. Dat gebaar heb ik haar vroeger vaak zien maken en het verbindt me met haar. Het is een typisch Hoffman-gebaar.

Voor ons, leunend tegen de kerkdeur, staat opa met één voet op de stenen te tikken. Zijn gezicht is vertrokken van ongeduld. Hij houdt niet van wachten.

'Kom,' zeg ik tegen tante Martina. Nu ben ik het die aan haar trekt. Ze kijkt me aan, knippert met haar ogen en verontschuldigt zich met een lachje voor haar afwezigheid.

'Ja, laten we gaan.'

Verónica trekt aan me en we overbruggen gearmd de afstand die ons nog scheidt van Lucas en papa voordat we in stilte de kerk binnengaan en ons onderdompelen in de blauwgroene schemering die door de kleine vensters in de solide muren naar binnen sijpelt.

De oude kerk: lichte, kale muren die elkaar raken boven een rij krappe bankjes voor een klein altaar. Achterin een houten beeld van de lijdende Christus. Naast het altaar schikt iemand bloemen in een vaas. Het is pater Julián, in zijn alledaagse kloffie, gefocust op een bos aronskelken en volledig afgezonderd van de wereld.

We blijven even staan waar we staan, onder de indruk van de vertrouwde en aangename ruimte van het godshuis. Er zweven te veel herinneringen tussen deze muren, voor ons tenminste. Hier hebben we als familie hoogte- en dieptepunten beleefd: de doop van Fernando en mij, en die van Lucas en Verónica; de begrafenis van Fernando en Emma ... te veel dingen. Te veel leven en te veel dood. Papa beweegt niet. Opnieuw staan we met zijn vieren op een rij, te wachten.

Juist als Verónica me meetrekt naar de voorste rij banken, steekt pater Julián de laatste bloem in de vaas en kijkt hij op. Op zijn gezicht verschijnt een verraste glimlach. Hij steekt zijn hand op en loopt glimlachend op ons af door het middelste gangpad.

'Goedemiddag, goedemiddag,' zegt hij zalvend als hij bij de deur is. Als hij papa ziet, blijft hij staan. Na een korte stilte geeft hij hem met een bedroefd gezicht een hand. 'Meneer Hoffman, dat is lang geleden. Wat een genoegen om u hier weer te zien.' Om zichzelf meteen aarzelend in de rede te vallen. 'Ondanks de omstandigheden ... U weet toch hoeveel wij in de parochie hielden van mevrouw Constanza.'

Papa trekt het gezicht van een heilige en schudt zijn hand.

'En zij van u, pater,' beweert hij met een trieste stem.

'Ja, dat weet ik, dat weet ik.'

'Want ze wilde u zelfs niet storen op de dag van haar dood,' verzucht opa met een hatelijke blik in zijn ogen.

Pater Julián weet niet wat hij van die opmerking moet denken en gaat er verder niet op in. Als hij naar de anderen kijkt, merkt hij de sleutel op die Verónica vasthoudt. Hij fronst zijn wenkbrauwen en doet alsof hij verbaasd is.

'Ah, je hebt hem meegenomen. Heb je het hek afgesloten, m'n kind?'

'Ja.'

'Alles in orde, pater,' komt papa tussenbeide. Hij leunt op de rugleuning van het dichtstbijzijnde bankje. 'We hebben ze allemaal veilig opgeborgen. Want het zal je maar gebeuren dat iemand zomaar opstaat en naar het klachtenboek vraagt, hè?' flapt hij er uit. Hij praat nu harder en knipoogt. De pater knippert met zijn ogen.

Ik sla een hand voor mijn gezicht. Hij is weer blauw zoals vanochtend. De hand.

Verónica overhandigt de sleutel. De pater neemt hem aan en stopt hem in zijn broekzak, vergezeld van ons zwijgen.

'Hoe dan ook,' zegt hij. 'Ik was jullie graag van dienst, al had ik graag meer gedaan.'

Stilte. Hij loopt naar de houten deur en doet een stap opzij om ons erlangs te laten.

'Misschien willen jullie zondag naar de mis komen.

We kunnen hem opdragen aan mevrouw Constanza,' stelt hij plechtig voor.

Ik hoor mezelf iets stamelen, op zoek naar de geschikte woorden om het voorstel van de pater af te slaan, maar papa neemt het voortouw.

'Het spijt me, pater, maar dat zal helaas niet gaan,' merkt hij droogjes op. 'Overmorgen vlieg ik weer naar Buenos Aires.'

De pater buigt zijn hoofd en klakt met zijn tong.

'Tja.'

'Hoewel, ik bedenk opeens, misschien …' gaat papa verder. Zijn 'misschien' hangt boven ons als een ballon die langzaam opstijgt, rechtstreeks naar een mast bekleed met prikkeldraad.

De ballon waait tegen de mast en schuurt ertegenaan, totdat een punt hem lekprikt en een eind maakt aan zijn reis, waarbij de inhoud over ons heen komt: een plens vuil, warm water. Een pak gemerkte kaarten. Een deel van een zin uit papa's mond die zo klinkt: 'Misschien wilt u morgen aanschuiven bij ons aan tafel. We hebben u graag in ons midden, pater.'

De priester knippert met zijn ogen van ongeloof. Verónica kijkt me steels aan en Lucas glipt de deur uit, op zoek naar frisse lucht.

'Het komt niet vaak voor dat we allemaal samen kunnen zijn,' dringt papa aan. 'En ik, op mijn leeftijd … nou ja, dit kon weleens de laatste keer zijn.'

'Goed, ik … om eerlijk te zijn had ik niet verwacht …'

'Kom op, kerel,' hakt papa de knoop door. Hij geeft een klopje op de broodmagere schouder van de priester. 'Bovendien wil ik iets met u bespreken.' De pater is op zijn hoede, hij bespeurt een gevaar waarvan hij de grootte niet kan vaststellen. Papa neemt hem bij de arm. 'Ik werk al een poosje aan een project en ik geloof dat het juiste moment is gekomen om het plan in werking te zetten.' Ik verslik me. Ik verslik me en moet hoesten op hetzelfde moment dat de pater zijn rug spant. 'Ik denk erover om een school voor nieuwe zangtalenten te stichten.'

O jee.

De pater kijkt hem aan. Te oordelen naar zijn blik en de manier waarop hij zijn hoofd schuin houdt, is hij er niet zeker van of hij het goed heeft verstaan. Zo blijft hij even staan, als een papegaai op een stokje, één pootje omhoog, het kopje scheef. Papa kijkt omhoog naar het houtsnijwerk, dat vanuit mijn optiek de kale schedel van de pater omlijst alsof hij het op zijn hoofd heeft gespijkerd.

'U weet wel, pater,' gaat hij verder, de hoffelijkheid zelve. 'Een internaat waar ze werken aan de stemmen van de toekomst.' Voor de waterige, wantrouwende ogen van de priester zet hij de strik op scherp. 'En waarom zou dat niet hier kunnen?' Hij kijkt mij aan en vouwt zijn handen als een doorgedraaide predikant. 'Dat kan toch, m'n kind?'

Soms bewonder ik papa. Ik bewonder zijn gave om het leven te verzinnen en in zijn verzinsels te leven. Ik weet niet waarom ik hem bewonder, maar ik doe het wel. Hij kan zoveel rollen spelen, en heeft op vijfentachtigjarige leeftijd zoveel zin om de spot te drijven met alles, dat de mensen om hem heen altijd verliezers zijn. En ik bewonder hem om zijn zelfspot, om zijn schaamteloosheid, en al is hij onderweg heel wat kwijtgeraakt, hij straalt nog altijd een blijdschap uit die ik slechts met moeite kan opbrengen, die ik voor mezelf niet op prijs stel.

Soms bewonder ik hem, jawel. Op andere momenten, als ik in een slecht humeur ben, haat ik hem vanwege zijn onvolwassenheid en zijn schuld aan zoveel zaken waar ik geen last van zou moeten hebben en die hij nooit heeft erkend of verklaard.

Dan kan ik hem wel vermoorden.

Hij kijkt me aan en verwacht een bevestiging, hij biedt me zijn medeplichtigheid aan als een geschenk. Ik weet dat hij pater Julián voor de gek houdt, maar ik weet niet waar het eindigt en dat maakt me nerveus. De pater, naast hem, stelt vragen. Er hangt een worm aan een vishaak pal voor zijn neus en hij loert er kwijlend naar. Hij zal happen. Dat weet papa en dat weet ik.

'Ja, papa, natuurlijk. Waarom niet?' Het is mijn stem. Het is mijn stem die liegt en het spel meespeelt. Pater Julián is tenslotte een slijmbal. Na wat hij heeft gedaan, kan het me niet schelen dat hij kronkelt aan papa's haak.

De priester haalt even zijn ogen van het aas af en werpt me een gelukzalige blik toe. Hij heeft kleine oogjes, verzonken in wit, pafferig vlees. En de handen van een baby.

'Dat is werkelijk zeer aardig van u,' gniffelt hij. 'En … natuurlijk, ik kom graag bij jullie eten.' Hij kijkt mij aan, spreidt zijn armen en zucht. 'Zo, met het hele gezin.'

Papa glimlacht en laat ons zijn perfecte gebit zien. Hij zwelt op als een pauw.

'Ik wist dat u me niet in de steek zou laten, pater,' mompelt hij. Hij geeft hem een hand en loopt naar de deur. 'Ik lag wat te dommelen in het vliegtuig, en te piekeren over die school, toen ik ineens tegen mezelf zei: pater Julián is mijn man.' De priester spitst zijn oren, en papa laat zijn stem zakken. 'Niemand kan zo goed met kinderen omgaan als hij. Ja toch, pater?'

De priester vouwt zijn handen, koelbloedig. Papa's laatste woorden zijn hem ontgaan en hij zoekt een antwoord op wat hij niet heeft gehoord. Hij let op de gezich-

44

ten van Verónica en mij om te zien of hij daar iets in kan lezen wat hem ter wille kan zijn. Verónica verbijt haar ongeduld en staart naar de deur. De pater kijkt mij aan, snuift een beetje en klimt eindelijk uit het moeras met een: 'Natuurlijk. Morgenavond. Om negen uur. Ik zal er zijn.'

Het is waar. Soms kan ik papa wel schieten. Maar andere keren sta ik versteld en vraag ik me af wie hij in werkelijkheid is, wie schuilgaat achter die buitenaardse stem en het uiterlijk van de eeuwige zeebonk, steunend op die mast van oude wervels die hem bijeenhoudt. Tweeëntwintig jaar geleden, kort na het ongeluk dat Fernando en Emma het leven kostte, veranderden hij en zijn stem in een afwezige vader en grootvader, in een vreemde manoeuvre die wij hier niet begrijpen. Hij vluchtte. Papa sloeg op de vlucht en deed afstand van de achterblijvers, van hen die tot dan toe zijn veilige thuishaven vormden. Hij begon opnieuw op de andere oever. Zijn privéleven werd uitgevlakt, opgeslokt door de jaren en een hoop verwijten en onvergeeflijke fouten, die mama ons haarfijn uit de doeken deed. Totdat zijn noodsignaal in de verte opnieuw begon te knipperen in het donker met zijn ansichtkaarten, die later brieven werden, toen telefoontjes en ten slotte ontmoetingen, vluchtige jaarlijkse bezoekjes aan de kliniek, waar we elkaar ontmoetten zonder de draad weer op te pakken, koeltjes, een omgangsregeling waarbij we beleefdheden uitwisselden: met mij gaat het goed, wat zie je er goed uit, ik heb het druk, hij met duizenden gala's en projecten, reizen en opnamen, in het kielzog van zijn stem die maar niet dooft. En dan weer de leegte. En de afstand. En dan begint het weer opnieuw.

Tot hier. Tot vandaag. Ineens, nu ik hem zie staan in

het tegenlicht voor de deur van de kerk, treft zijn ouderdom me als een pistoolschot. Ik val erbij in het niet. Zijn vijfentachtig jaar bevat zaken die ook mij toebehoren en die ik wil weten, lege regels die alleen hij kan invullen. Over mij, over mama en over wat er gebeurde in die vreselijke nacht die onze levens aan diggelen sloeg. Ik wil dat hij me alles uitlegt, dat hij zijn verhaal vertelt. En ik begrijp dat het nu of nooit is, en dat als ik het niet vraag vóór hij maandag het vliegtuig pakt naar zijn bestemming, het er misschien nooit meer van komt.

En ik ben bang. Voor wat ik niet weet. Voor wat hij verbergt. En om hem opnieuw te verliezen.

'Je bent een duivel, papa.'

Tante Martina stoort zich aan opa, maar op een prettige manier. Hij daarentegen glimlacht tevreden terwijl we de hoofdweg verlaten en beginnen aan de klim over het grindpad langs de paardenkastanjes naar het grote huis. Ze discussiëren. Zij discussieert, hij zwijgt. Ze komen langzaam vooruit, en laten ons wachten terwijl de twee torens met schubben van fonkelende tegels die de voorgevel omlijsten al in de verte uitsteken boven de boomkronen.

Naast me loopt Verónica aan mijn arm, zwijgend. Ze is afwezig. Ze wordt door iets naar binnen getrokken sinds we de kerk verlieten. Er staat een frisse wind die het gras op de heuvels kamt en van over de oceaan komen zwermen wolken aandrijven, opgeblazen als zeilen. Er is weersverandering op komst.

'Het weer gaat veranderen,' zegt ze. Ze sluit haar ogen en snuift de lucht op.

'Storm?'

'Storm.'

Toen we klein waren probeerden we te raden welke boodschappen er verborgen zaten in de geuren die de wind meevoerde van de kliffen. De geuren bereikten ons doordrenkt met boodschappen, en die moesten wij ontcijferen om te ontdekken wat er stond te gebeuren: als het stormde, kwam er heibel; als het mistte, zou er onrecht plaatsvinden; als de zon scheen, zou papa of opa terugkomen van een van hun tournees, beladen met cadeaus, vol verlangen naar ons. Dat spel zijn we blijven spelen, en het is veranderd in een eigen taal waarmee

Verónica en ik probleemloos communiceren. Storm, zegt ze. En ik lees in haar ogen en in de vochtige wind dat er de komende uren een storm zal opsteken, zowel in de lucht als in het leven. Ik doe een beroep op onze gemeenschappelijke geheimtaal.

'Gaat het pijn doen?'

Ze ontwijkt mijn blik. De wolken verdrijven de blauwe lucht als losse bloemen die op haar glanzende ogen drijven.

'Natuurlijk.'

'Veel?'

Nu kijkt ze me wel aan en trekt ze me naar zich toe. Ze klampt zich vast aan me.

'Ja,' voorspelt ze stellig, met haar hoofd op mijn schouder. 'Maar het is een aangename pijn, wacht maar af.'

Een aangename pijn. Dat was een uitdrukking van mama. Die gebruikte ze altijd bij de naderende pijn van de verzorging na een valpartij. Dan duurde het niet lang voordat mevrouw Sonia arriveerde met haar glazen injectiespuiten vol gammaglobuline. Of bij de angst die me in zijn greep kreeg — en die me nog bekruipt — in de wachtkamer van iedere tandarts. Dat was mama. Dát, haar drie woorden. Verónica en ik weten dat heel goed, en als een van beiden het tegen de ander zegt, tekenen we er een enorm kruiswoordraadsel mee, dat plaats biedt aan miljoenen combinaties. Eén verticaal is dan bijvoorbeeld: ik mis haar. En in één horizontaal schrijven we: ze was een goede levensgezel, een geschenk dat we altijd kunnen opvissen uit het moeras van ongeluk dat haar afpakte, een ankerplaats die nog bestaat en die ons verbindt door zijn afwezigheid. Deze woorden bevestigen dat we tweemaal broer en zus werden: enkele jaren na haar geboorte kwam ik, en maakte haar mijn zus; in de nacht dat we papa en mama verloren moesten we met zijn tweeën verder, en wennen aan de aangename pijn.

We zetten ons weer in beweging. De dag loopt ten einde en de lucht vangt de opkomende duisternis.

'Weet je?' zegt ze.

We lopen in dezelfde pas, haar vraag sluit aan bij mijn nieuwsgierigheid.

'Hans heeft me ten huwelijk gevraagd.'

Ik loop door zonder iets te zeggen. Als ik haar een beetje ken, is dit niet wat ze mij wil vertellen. Een windvlaag rammelt aan het hek dat in de bocht van het pad staat. De paaltjes sidderen als zand in een zandloper.

'Ik mag Hans wel.'

'Ja,' geeft ze toe. 'Iedereen mag Hans.'

Ze heeft gelijk. Hans is zo'n vent die van het leven geniet, tevreden is met zijn bestaan. Hij houdt zielsveel van Verónica, maar zijn liefde is oppervlakkig. Hoewel ze al een hele tijd samen zijn, heeft hij nog niet in de gaten dat Verónica liever wordt begrepen dan bemind.

'En?'

Ze kijkt naar me op met het gezicht van een grote zus. Ik moet lachen. Zij niet.

'Vraag jij me om advies? Jij?'

'Nee.'

'Aha.'

Daar zou het gesprek kunnen eindigen. Verónica is namelijk trots, en zo koppig als een kind. Soms kan ze maar moeilijk om zichzelf lachen. Maar ze weet dat ze van mij niets te duchten heeft.

'Jouw mening. Ik wil jouw mening,' verbetert ze met tegenzin.

'Waarom?'

'Omdat je mijn broer bent.'

'Ik zou het iemand vragen met meer ervaring met huwelijken dan ik.'

'Idioot.'

'En volgens mij wil je helemaal niet trouwen. En wil je me eigenlijk iets anders vertellen.'

Haar arm die in de mijne gehaakt zit, verstrakt. Ik hou ervan hoe haar dunne arm me verwarmt.

'Jij denkt dat je heel slim bent, hè, snotneus?'

'Nee, liever. Maar ik heb alleen jou en ik ken je goed.' Ik voel haar glimlachen tegen mijn jas. Haar arm ontspant.

'Dat weet ik toch.'

En ik. Ik heb Verónica en ook de dans, maar soms zou ik willen dat er meer was, dat dit niet alles was.

'Wat is er, Verónica?'

We zijn aangekomen bij de rotonde die het huis scheidt van het verharde pad. In het midden is een vijver. Kleurige karpers duiken in het water, dat wordt geverfd door de schemering. De eeuwige waterlelies, en tante Martina en opa veranderd in schaduwen aan de voet van de trap bij de voordeur.

'Het valt me op dat je anders bent,' zegt ze. 'Volwassener. En dat je eerder niet zo was. Je stelt nooit zoveel vragen.'

Ze kent me door en door. Even goed als ik haar.

'En je stelt zoveel vragen omdat je niet over jezelf wilt praten. Je verbergt iets.'

Ik reageer instinctief en mijn antwoord verbaast mij evenzeer als haar.

'Misschien wacht ik ook wel op een vraag.'

Ze blijft staan bij de vijver en een paar stappen verder doe ik hetzelfde. De wind is gaan liggen en de stilte is zo intens, dat we ons onder water lijken te bevinden.

'Wil je dat ik je een vraag stel?' Haar stem komt ontzettend teder op me over. Wanneer ze het toelaat, is Verónica zo breekbaar dat je haar zou willen omhelzen. Stevig.

'Ik weet het niet.'

'Waarom niet?'

'Omdat, als je dat doet, ik niet kan liegen.'

'En is dat dan verkeerd?'

Ai, Verónica. Het goede en het kwade. Wat pijn doet en wat niet. Wat wij zijn en wat wij zouden willen zijn. Waarom leven we allemaal zo verstrooid? En waarom zijn we zo bang voor antwoorden?

'Nee, Verónica. Dat is niet verkeerd.'

'Wat is er dan?'

'Nou, als ik antwoord en mezelf hoor praten, is er geen weg terug. En daarvoor ben ik bang.'

We zeggen allebei niets. Opa en tante Martina praten op de trap. De stilte is nu wispelturig, bijna beweeglijk. Verónica komt bij me staan en neemt me bij de arm. Voor ons verheft zich de reusachtige voorgevel van het grote huis, met zijn torens, zijn vensters en zijn schaduwen, omgeven door de duisternis, want de avond is intussen gevallen.

'Dan zal ik goed nadenken over de vraag,' fluistert ze in mijn oor, en ze geeft me een zetje.

'En hoe gaat het met jou, kleintje?'

Kleintje. Als papa me 'kleintje' noemt, krimp ik hele-maal ineen en beleef ik dingen uit de tijd dat we nog één waren, hij en ik, mijn gewicht op zijn knieën, hij verha-len vertellend waar ik niets van begreep. Maar dat gaf niet. Ik voelde de botten in zijn benen onder de mijne, en zijn arm rond mijn middel terwijl zijn stem me in-pakte als cellofaanpapier. Toen was alles nog goed.

Vragen. Papa vraagt en ik weet dat het uit zijn hart komt, al weet ik ook dat we onze antwoorden goed moe-ten overwegen, omdat we nog niet op één lijn zitten. Ooit zaten we dat wel, toen kreeg je nog antwoord op je vraag, toen was de lach nog onschuldig en volgde alles een gezonde orde. Maar dat was vóór het ongeluk. Alles was voor het ongeluk en daarna, zoals de twee kanten van een munt die wordt opgeworpen maar nooit landt, en als hij dan toch landt, op zijn kant. De hemel en de zee. Boven en onder. Een positief en een negatief leven. Fernando en ik. Verónica en Lucas. Papa en mama.

Nee, we geven elkaar al een hele tijd geen eerlijke ant-woorden meer. Niet op de moeilijke vragen, tenminste.

'De waarheid?'

Hij glimlacht.

'Natuurlijk.'

Ik ben moe, dat is één waarheid. Moe van de laatste jaren waarin ik mama verzorgde in het veel te grote huis, alleen wij tweeën, een strijd van man tot man met haar stiltes, haar decorumverlies en haar aanvallen van opge-kropte woede. Moe van Marianne, die kwam om me te helpen bij het schoonmaken en het koken, en die zich

langzamerhand installeerde waar ze niet was uitgenodigd, en zich te veel plaats toe-eigende. Ik ben uitgeput,
ja. Bovendien doet mijn pols zeer. Ik ben bang dat hij
niet goed aan elkaar is gegroeid, want ondanks de weken
die zijn verstreken, zwelt mijn hand op als het ruwe washandje waarmee ik mama waste.

Dat is één waarheid. Maar er zijn er meer.

'Ik voel me prima.'

Één wenkbrauw gaat omhoog.

'Liegbeest.'

We kijken elkaar aan. Als ik glimlach, schiet ik vol, en
als ik volschiet kan ik mijn tranen niet langer bedwin-
gen. Ik ben te zwak.

'En moe. Ik heb al twee nachten niet geslapen, ik ren
van hot naar haar, moet formaliteiten afhandelen, het
ziekenhuis, de begrafenisonderneming ... je weet wel,
voor intendant spelen.' Hij zegt niets, maar houdt zijn
arm om mijn schouder. 'En verdrietig. Ik ben ook verdrietig. Ik ga mama nog missen.'

Hij kijkt me weer aan en lacht naar me. Het is niet de
lach van een artiest. Niet de lach waar Rodolfo Hoffman
zijn publiek op trakteert zolang ik me kan herinneren.
Het is de lach van een vader. Die had ik al een poosje niet
gezien en hij treft me op een zwak moment.

'Dat spreekt voor je.'

Ik weet niet wat ik moet zeggen. Hij wel. Hij dempt
zijn stem en zijn blik.

'Je moeder was geen gemakkelijke vrouw.'

Dat klopt, mama was geen gemakkelijke vrouw, maar
dat was haar leven ook niet. Al helemaal niet toen ze
Fernando verloor en haar perfecte wereld van een perfecte moeder ondersteboven werd gekieperd.

'Datzelfde beweerde zij over jou.'

Papa laat ongegeneerd een boertje, dat de rust van de tuin verstoort. Een lach als een blij kind. Aanstekelijk.

'Een snuggere meid, die moeder van je.'

'Nee, papa. Mama mag dan veel zijn geweest, maar slim of sluw was ze niet,' protesteer ik met tegenzin. 'Laten we onszelf niet voor de gek houden.'

'Zeg dat nou niet.'

Zijn antwoord verbaast me, maar dat zeg ik niet. Dat is ook niet nodig.

'Verbaasd?'

'Wat zou dat.'

'Mij doet het wel wat.'

'Jij moet haar niet verdedigen, papa. Dat past jou niet.'

'Waarom niet?'

'Omdat zij dat volgens mij in jouw geval niet had gedaan. Ze heeft het zelfs nooit gedaan.'

Nee. Mama had geen goed woord over voor papa. In het begin had ze het nog wel over hem, hoewel nooit rechtstreeks. Jouw vader, zei ze zonder me aan te kijken. En ze zei het tegen mij omdat er verder niemand was, alsof ik de schuld had van papa's daden. Langzamerhand veranderde haar betoog, maar niet de toon. En op een dag besloot ze dat 'jouw vader' hem niet meer toekwam. Ze werd nog geraffineerder en papa mocht niet langer aanspraak maken op familiebanden, maar slechts op de titel 'die man'. Dus je gaat die man zien, verzuchtte ze met een uitgestreken gezicht terwijl ze me mijn tas zag inpakken voor de korte jaarlijkse ontsnapping die me naar hem en de kliniek zou voeren. Die man verdient ons niet. Hij heeft ons nooit verdiend, foeterde ze binnensmonds.

Er kwam een moment waarop ze het gewoon niet meer over hem had. De herinnering aan papa vervaagde en ze begroef hem op de zolder van haar geheugen bij al die

andere vergeten troep. Ze had hem losgescheurd en leefde verder zonder hem. Tot aan haar dood.

'Ik neem het haar niet kwalijk,' mompelt papa naast
me. Zijn witte figuur vangt de sintels licht die de dag nog
heeft achtergelaten. Ik kan zijn gezicht niet zien. 'Daarvoor is het nu te laat, m'n kind.'

Te laat, zegt hij, en ook al praat hij in zichzelf, zijn
boodschap galmt na in mijn hoofd. Zo denk ik er ook al
langer over. Zoveel jaren hier, vastgeplakt aan mama als
een pluk gras aan een boom vol dorens. Al die tijd wachten tot ze verandert, zodat er een opening voor me zou
ontstaan naar wat ik daar buiten had achtergelaten, afhankelijk van haar verdriet, hopend dat ze op een dag
weer zin in iets kreeg in plaats van de woede tegen het
leven, haar slechte humeur, de slechte verliezer. Twintig
jaar wachten is te lang, schiet me ineens te binnen.

'Waar denk je aan?' vraagt hij uit de schaduw.

Ik denk dat ik zoveel jaren met mama heb doorgebracht, afhankelijk van haar ongeluk, dat nu ze er niet
meer is, ik geen idee heb wat ik met mijn resterende tijd
moet aanvangen. Ik kan haar niet eens gaan missen,
want zodra ik dat doe, ben ik alleen en moet ik bij het
begin beginnen.

'Dat ik zestig ben, papa. En dat het inderdaad te laat is
voor een heleboel dingen.'

Ik hoor hem ademen door zijn neus. Zijn jas kraakt en
de hemel in de verte kraakt ook, en opent zich met een
doffe donderslag die klinkt als gemurmel.

'Vannacht gaat het stormen,' zegt hij.

'Daar lijkt het wel op.'

Juist op dat moment springen de twee enorme lantaarns aan die boven de voordeur hangen. Ze reageren
op licht en beweging. Enkele stappen voor me kijkt papa

me aan met een van pijn vertrokken gezicht. Het licht van de lantaarns heeft hem betrapt. Hij staat licht voorovergebogen en duwt een hand in zijn linkerzij. Nu hij merkt dat hij in het licht staat, probeert hij te glimlachen, maar hij komt niet verder dan een grimas. Zijn houding brengt me even terug naar het kerkhof en ik begrijp het meteen.

'Alles in orde?'

Hij recht zijn rug en tuit zijn lippen.

'Het stelt niets voor. Die verrekte divertikels zijn de laatste tijd aan één stuk door ...' Nog een grimas. '... aan het klieren.'

'Maar, papa, waarom heb je dat niet eerder verteld? Hoelang loop je daar al mee rond?'

Het bevalt hem niet. Hij heeft liever niet dat ik me zorgen maak.

'Waarmee rondlopen? Een stel divertikels van niets, meisje. Een kwaaltje van oude mensen. Op mijn leeftijd is dat wel het minste waar je last van hebt.'

Ik weet niet wat ik moet zeggen. Hij blijft over zijn buik wrijven.

'Moet ik een dokter bellen?'

Hij kijkt me aan alsof hij een meisje uit het koor vals hoort zingen.

'Je bent gek.'

'Papa ...'

'Het stelt niets voor,' prevelt hij vastberaden en met een angst voor dokters die ik met hem deel. 'Soms, als ik weer eens te veel heb gegeten, zwellen ze op. Ik moet mezelf beter in de hand houden, dat is alles. En veel fruit eten, water drinken ... van die onzin waar dokters je mee afschepen als ze niet weten wat je scheelt, dus zeg maar altijd.'

'Zeker weten?'

'Beslist. Het enige wat ik nodig heb is een zacht bed. En slaap, veel slaap. Je weet hoeveel last ik heb van een jetlag.'

Hij lacht weer en werpt me een geruststellende knipoog toe. Ik besluit hem te geloven. Ineens besef ik dat ik een vader van vijfentachtig heb die de wereld rondreist als een twintiger, met onverklaarbare energie. Hij haalt diep adem en blaast de lucht uit als een langeafstandsloper. Daarna klopt hij zichzelf als herboren op de borst. Achter ons, bij de fontein, lopen Verónica en Lucas arm in arm. Ik kan mijn nichtje niet zien, ze is weggedoken in de omarming van haar broer. Tweeëntwintig jaar geleden waren de plaats en de omstandigheden hetzelfde. We stonden hier, op deze uitgesleten stenen treden, en zij tweeën vormden één solide blok verdriet, een borstwering. Verónica zonder een traan te laten. Hij zowat vloeibaar, minder lichamelijk. Zoveel jeugd tussen al die volwassenheid.

In de avondstilte springt er iets van binnenuit tegen de dubbele voordeur van glas en hout op, wat me terugbrengt naar het hier en nu. Papa staart naar de deur, houdt een hand voor zijn borst en deinst achteruit. Het geluid is even weg en hij blijft de deur in de gaten houden, afwachtend, tot er opnieuw klopjes te horen zijn, ditmaal vergezeld van krabben en grommen tegen het hout. Papa vertrekt geen spier. Hij brengt als vanzelf zijn hand naar zijn buik, terwijl achter onze rug een nieuwe donderslag klinkt, dichterbij ditmaal.

'M'n kind,' fluistert hij zonder om te kijken. Vanwaar ik sta is hij even wit als zijn pak, al kan dat ook komen door het lantaarnlicht op zijn huid. Ik bijt op mijn lip om niet in lachen uit te barsten.

'Dat zijn de meisjes, papa.'

De verklaring helpt hem niet. Nu kijkt hij me wel aan. Hij slikt en zoekt steun bij de pilaar achter hem terwijl hij nadenkt over wat ik zeg.

'De meisjes?' Hij is bang. Papa is bang en in het lantaarnlicht komt hij op me over als een doodsbange bejaarde, verdwaald in het drukke verkeer van een stad waar hij heg noch steg kent. Hij ademt zwaar, moet zich inspannen.

'De meisjes, papa. Mijn meisjes,' help ik hem herinneren. Ik stap de twee treden op naar de veranda en open de dubbele deur een stukje. Fauna, Flora en Primavera schieten de veranda op als drie geesten uit een lamp. Ze springen tegen me op, buitelen over elkaar heen en eisen mijn aandacht. Ik buk en laat me bijten en voor even een van hen worden. Zo gaat het altijd.

Bij de pilaar komt papa weer bij. Geen spoor meer van de doodsbange, verstomde bejaarde die ik zojuist onder de lantaarn zag. Hij glimlacht zowaar.

'Kijk eens aan … dus dít is de beroemde Fauna en co,' begint hij met een plotselinge glans in zijn ogen die ik goed ken.

'Ja.'

Hij komt niet dichterbij. Hij bekijkt ons vieren vanaf een afstandje. Langzaam tekent er zich een frons af op zijn gezicht.

'Juist ja.'

Fauna ligt nu op haar rug. Ze houdt ervan om over haar buik te worden geaaid. Flora likt haar eigen snuit en Primavera rent de trap af, glipt tussen de grote hortensia's door en zakt door haar achterpoten om in het gras te plassen.

'En jij beweert dat dit rashonden zijn?'

'Ja, papa. Het zijn Franse buldogs.'

'Franse?' vraagt hij met een vies gezicht. 'Aha!'

Ik glimlach. Nu wil Flora dat ik haar aai. Zij het liefst achter een oor.

'En lopen ze binnen?'

'Natuurlijk.'

'Altijd?'

'Ja.'

'Oké.'

Het blijft even stil. Lucas en Verónica praten bij de vijver, maar hun gesprek bereikt ons niet. De drie honden hijgen opgewonden, maar al een stuk rustiger. Fauna ligt nog steeds op haar rug bij mijn voeten, met haar tong naar buiten. Flora laat zich aanhalen.

'Meisje.'

Als ik opkijk, zie ik papa tegen de pilaar leunen. Hij kijkt Primavera strak aan, die voor hem is gaan zitten en terugkijkt met haar kopje schuin omhoog. Papa is niet bepaald onder de indruk.

'Dus dit is die gremlin, de gifspuwende psychopaat?'

Ik schiet in de lach. Hij niet. Als hij zichzelf zou zien, zou hij met me meelachen. Dat doen we nog weleens, als deze avond een gedeelde herinnering is. Zeker weten.

'Ze zal je niets doen, papa. Ze zijn alle drie erg aardig. Ze wil alleen dat je iets tegen haar zegt.'

Hij blijft staren naar Primavera, die doodstil zit en hem vanaf de vloer bestudeert met haar uitpuilende ogen en flaporen.

'Iets?'

'Ja.'

'Iets aardigs?'

'Als het even kan wel, ja.'

Hij krabt aan zijn kin en bukt zich een beetje. Hij

knijpt zijn ogen tot spleetjes met een gebaar dat ons beiden bekend voorkomt.

'Dan zal ik moeten liegen.'

Ik moet mijn lach inhouden en ik weet niet of me dat nog langer lukt. Papa buigt verder over Primavera heen en brengt voorzichtig een hand naar haar kop, hij raakt haar bijna. Dan lijkt hij haar instinctief te aaien, terwijl hij zegt: 'U zult wel beschikken over een grote inwendige schoonheid, jongedame.'

En Primavera, de meest verlegen en schuwe van de drie, die apart eet en apart slaapt, sluit haar ogen en geeft een pootje, dat ze in de lucht laat hangen alsof ze op het punt staat aan te bellen bij een onzichtbare deur. Papa komt overeind en vouwt zijn handen, opnieuw steun zoekend tegen de pilaar. Even later gaat Primavera staan, ze kijkt eerst naar mij om en loopt dan langzaam, heel langzaam naar hem toe. Met haar kleine, lichte pasjes trippelt ze een rondje om hem heen en posteert zich ten slotte aan zijn voeten. Dan kijkt ze omhoog, laat zich omvallen en legt haar kop met een hese zucht op papa's schoen.

Papa kijkt haar vragend aan.

'Wat doet ze?'

Aan zijn voeten slaakt Primavera een kleine zucht.

'Nu ben je van haar.'

Papa laat een lachje horen en schudt zijn hoofd.

'Waarom moet ik altijd dansen met de lelijkste?'

Nu lachen we luidkeels, hij en ik, Rodolfo en Martina, en tussen ons in schieten vragen, herinneringen en fragmenten uit het verleden over en weer. De hele geschiedenis die ons samenbindt en die de twee levens vormt die wij tot vandaag hebben gedeeld: het leven dat we hier samen leefden tot de dood van Fernando en Emma ons tegen onze zin ontwrichtte, en het andere, dat daarna kwam, dat de romp van de boot waar we tot dan toe samen in voeren doorsneed en ons ieder op een vlot zette, ieder op weg naar zijn eigen oever, niet gewend aan de nabijheid van het water, aan het roeien met de handen over de diepe zee.

Sindsdien is er veel gebeurd, en ik zie aan papa's glanzende ogen dat er met mij niets is gebeurd, dat het leven al die jaren buiten mij om zijn gang ging. Ik werd afgedekt door de loyaliteit van mijn verweesde neefje en nichtje en door de korte ketting waarmee ik me heb laten vastbinden aan mama. Ik heb zoveel jaren slechts met haar in dit huis doorgebracht dat ik ineens inzie, nu papa hier is, leunend tegen de houten pilaar met Primavera aan zijn voeten, dat dit de werkelijkheid is: er zitten twintig jaren tussen zijn vertrek en zijn thuiskomst, want dit is zijn huis. Het beneemt me de adem, want ik begrijp dat ik na alles wat er is gebeurd alleen maar kan slikken en geen schoon schip kan maken. Ik wil hem weer bij me hebben, thuis, want ik kan hem niet langer missen, ik heb genoeg jaren van heimwee meegemaakt.

Papa kijkt me aan en ik wil hem zeggen dat zijn aanwezigheid hier, zo dichtbij, me pijn doet, want ik weet dat hij over enkele uren weer vertrekt en mij met lege handen achterlaat. En ik wil hem ook vragen of hij nu wil vertrekken, dat hij het niet uitstelt, niet op deze manier. Nee, niet op deze manier.

'Waarom ben je gekomen, papa?'

Ik sta versteld van mijn stem en wat ik daarin ontdek. Het is geen woede en ook geen verwijt. Het is een automatische vraag die ik er uitflap om te verdoezelen wat ik hem niet durf te vragen uit angst voor het antwoord. Ik vraag 'Waarom ben je gekomen?' en verzwijg een 'Waarom blijf je niet?' Die laatste vraag is ongepast, daarvoor is het, zoals voor zoveel zaken, te laat. De tijd is door onze vingers geglipt.

Hij lacht naar me vanaf de pilaar. Met zijn mond, niet met zijn ogen.

'Ik wilde je meisjes ontmoeten voordat de divertikels een einde maken aan hun grootvader.'

Het klopt niet. Zijn antwoord klopt niet. Iets lager, op vaste grond, komen Lucas en Verónica er al aan, zij weggedoken onder de arm van haar broer, zwijgend. Papa kijkt naar hen. Dan maakt hij zijn rug los van de pilaar, bukt zich langzaam, haalt Primavera van zijn schoen en loopt rustig naar mij toe.

'Omdat ik bang was dat ik te laat zou komen.'

De nacht valt over ons heen en ik voel zijn knokige arm rond mijn middel. Hij trekt me naar zich toe. Het is echt veel te lang geleden dat iemand me heeft omhelsd.

Het doet me goed. Zijn warmte doet me goed.

En zijn oude, benige hand op mijn heup begeleidt me naar de deur, wij tweeën samen tussen de duisternis van de nacht en die van de immense hal, waar nog geen licht brandt. Hij is weer thuis en zijn warmte stroomt helemaal om me heen als een lange en warme zeearm.

II

STORMEN

De gladheid van de piano met zijn lange vleugel als een zwart zeil boven een slapende zee, de enorme ramen op de donkere tuin en de zware stilte van de Atlantische nacht die wordt verscheurd door opeenvolgende donderslagen. Dit was mijn huis. Hier leidde ik het leven dat ik nu niet meer heb, dat al voorbij is. Misschien had ik niet moeten komen. Misschien is het al te laat.

Ik heb ze achtergelaten aan tafel, rustig keuvelend als een gezin, en me hier teruggetrokken. De kamer is nog intact. Het voelt vreemd om opnieuw tussen deze vier muren te zijn, tussen de boeken, partituren, foto's en herinneringen waarvan ik niet had gedacht ze ooit nog terug te zien. Twintig jaar afwezigheid en dan terugkomen, ik kan vanuit deze hoek de sofa naast de schoorsteen zien terwijl ik de zwarte en witte versleten toetsen streel. Zelfs de geur is nog hetzelfde. Verloren gewaande herinneringen beroven me van mijn stem. Er doemen beelden op, honderden, van de urenlange repetities, van een geluk dat de jaren me niet hebben afgenomen, want ik heb geleerd om het bij me te dragen zoals een slak zijn schelp. Het geluk van de overlevende, van de oude taaie, zou Fernando hebben gezegd.

Ik heb de blauwe kamer voor je klaargemaakt, heeft Martina me gezegd onder het eten, dat ik niet heb aangeraakt. Even begreep ik haar niet. De plattegrond van het grote huis was met het verloop der jaren uit mijn geheugen gewist. De blauwe kamer, zei ze. Dit was mijn hoekje, de kleine oase waar het wemelde van de partituren en mijn stem klonk zoals hij nooit weer heeft geklonken. Het was ook mijn stad, met zijn straten, huizen, uitzichten en parken. De verboden stad, die van 'niet storen'. Verboden voor iedereen, op Martina na. Mijn kleine Martina met haar grote babyogen in de vensterbank, met haar klei en haar vuile handen, aan het boetseren, luisterend naar mij en de muziek als een gelukkige kat. Ik aan het zingen, mijn stem opwarmen, variaties uitproberen en hele melodieën vals zingen om haar aan het lachen te krijgen. Zij liet zich bewonderen vanaf het raam. Ik zong voor haar. Dat waren andere tijden.

Martina vormde altijd dat deel van het huis dat me de werkelijkheid liet zien, dat me met mijn neus op het lichamelijke drukte, op dat leven van vlees en botten dat ons alledaagse leven binnensluipt en dat ik nooit goed kon bespelen. Haar geboorte verliep voorspoedig, want ze wilde graag geboren worden. Ze wilde zo graag contact maken met de aarde, dat toen het eenmaal zover was, we haar met geen stok aan het lopen kregen.

'Dat kind deugt niet,' zei Constanza aldoor, aanvankelijk bezorgd, later bedroefd, toen bleek dat Tina niet liep. Constanza kon geen afwijkingen in haar nabijheid verdragen, en die nabijheid bestond met name uit haar kinderen: eerst Martina en later Fernando. En ik zeg háár kinderen, want zo keek zij ertegenaan. Fer en Tina waren van haar, haar verantwoordelijkheid, door haar op de wereld gezet. Ze stortte zich op het moederschap zoals ik me op mijn zangcarrière, en sloot zich met hen op in de zeepbel van de huiselijke kring, en probeerde hun een hapklare wereld voor te schotelen, zonder lelijke vlekjes. Maar Constanza leed. Ze leed toen de werkelijkheid een onverwachte wending nam, die haar gebaande paden bedreigde en haar dwong te improviseren. Toen kwam de blokkade, de woede, de ontgoocheling. De angst. Ze was doodsbang voor het onverwachte. Dat kon ze niet controleren. Niet begrijpen. Zoals Martina en het lopen.

Nee, Martina groeide op en er kwam maar geen eerste stapje of voorteken daarvan. Ze bleef zitten waar we haar neerzetten, tevreden met wat ze had en met wat ze niet had. Ze keek om zich heen met een gelukkige glimlach, die Constanza voor beschuldigend hield. Een glimlach van verwaarlozing, vertelde ze me geïrriteerd. Het viel niet mee haar ervan te overtuigen dat Martina niets mankeerde, dat ze misschien wat langzaam was in haar beslissingen, en andere prioriteiten stelde dan wij. Constanza probeerde me te geloven, maar slaagde daar niet in. Ze begon Martina met andere ogen te bekijken, met die van een angstige moeder in het licht van een toekomst met een dochter die niet reageert, die zich ziek voordoet om te klieren. Het waren ogen die zeiden: waarom doe je me dit aan, meisje, waarom bij mij, als ik er niet tegen kan, en bang ben en het me pijn doet. Ze begon Martina te ontwijken. Ze wilde haar niet zien, om de afwijking niet te hoeven trotseren die ze zo verafschuwde. Ze leed zo door Martina dat ze begon te denken dat het kleintje had besloten niet te lopen om haar te zien lijden, dat Martina het deed om haar, tegen haar.

Totdat op een dag alles veranderde. Ik repeteerde hier, achter de piano. Het was herfst en Constanza was naar de stad. De vorige dag had het geregend en in een van de bloembedden naast het huis had zich een hoop modder verzameld die door de regen was meegevoerd. Martina zat op haar dekentje bij het raam met haar speelgoed, en ik werkte aan mijn repertoire, ik weet niet meer aan welk lied. Ik weet nog wel dat de namiddag lekker rook. Ik herinner me de vrede, de stilte en het kraken van de houten vloer in de studio, die zich voegde naar het

nieuwe seizoen. Op dat vredige moment bracht de een-
zame schreeuw van een meeuw mijn blik naar het raam
en mijn ogen botsten op het schriele figuurtje van Martina, dat rustig en geconcentreerd in het bloembed zat,
in het hoopje natte modder waar het licht op viel. Ze
tekende zich zwart af tegen het groene gras. Zo verstreken enkele seconden, Martina met haar ogen strak op de
modder gericht en de mijne op haar, op de spanning in
haar piepkleine schoudertjes, tot ze me ineens een glimlach schonk die ik nooit ben vergeten. En zo bleef het, zij
glimlachend en ik gehypnotiseerd, wachtend op iets wat
in de lucht hing maar niet kwam, totdat mijn kleintje
haar handen op de grond zette, iets brabbelde zonder
woorden, op haar watten benen ging staan en de afstand
die ons scheidde, aflegde met haar armen naar me uitgestoken, zonder haar blik van me af te wenden, zonder te
treuzelen, rechtstreeks naar haar vader.

Het was een emotioneel moment. Ik voelde de emotie
en merkte dat mijn stem in mijn keel stokte terwijl zij
vrolijk naar me toe kwam lopen. Toen ze bijna bij mijn
been was, bleef ze staan bij een poot van de piano als een
boei in een kalme zee. Ze nagelde me vast met haar blik
en met haar glimlach, ze strekte haar handen uit, eiste
me op.

Dus ging ik staan en liep naar haar toe.

Toen ze mij naast zich had, zocht ze met haar handje
de mijne en trok ze aan me met haar wankele evenwicht.
Naar de schuifpui. Naar buiten. Kom nou, kom nou,
riepen de nog niet bestaande spieren in haar armen.
Vooruit. We liepen over de vloer van de kamer zoals een
sleepboot trekt aan een vermoeide oceaanstomer op weg
naar de haven, recht door zee, dwars door de hoge golven. Eenmaal bij de deur, wees Martina met haar andere

handje en wat gebrabbel naar het hoopje modder in de tuin, waarbij haar voorhoofd vertrok. Ze vroeg het in stilte.

Een fronsende Martina met haar eis. Ze wist wat ze wilde.

Ik tilde haar op en we liepen de tuin in. Daar zette ik haar op de grond, zij gaf me opnieuw een handje en trok me naar het bloembed. Kom op, wij met z'n tweeën. Bij de modder aangekomen, knielde mijn dochter, die net had leren lopen, zonder mij los te laten. Ze pakte een handjevol aarde in haar knuistje en gaf het aan mij.

'Aarde,' zei ik tegen haar, eigenlijk zonder te weten waarom.

Ze antwoordde met een blije lach. Ik kneedde de kluiten tussen mijn vingers en gaf ze weer terug. Zij sloot haar hand om mijn vinger en trok me naar beneden, ze hing er zowat aan. Ik knielde. We knielden allebei. Ze loopt, dacht ik. Mijn dochter loopt, herhaalde ik in mezelf. Haar bewegingen en de magie van haar warme hand hadden me zo in hun greep, dat haar eerste stapjes nu pas tot me doordrongen. Ze drongen wel door, maar niet zoals ik had verwacht of gehoopt, niet zoals ze hadden moeten doordringen tot een vader, maar zoals het ene menselijke wezen doordringt tot het andere, als een leven dat ineens gezelschap krijgt op de weg.

Op de knieën. Martina op haar knieën, met haar handen begraven in de modder, erop slaand. Ik naast haar gravend, op de grond zittend met mijn benen om haar heen: een besmeurde vader en een besmeurde dochter. Martina kraaide van plezier en ik was ook blij terwijl mijn kleine meisje kleine handen vol modder pakte en ermee speelde, haar warmte tegen mij aan, geconcentreerd op haar zojuist gevonden geluk. Ik begreep dat mijn dochter me de hare had gemaakt. Dat ik van haar was.

Zo trof Constanza ons aan bij haar terugkeer. Onder de modder en delend in de intimiteit. Ik zag haar uitstappen, rond de vijver lopen en dichterbij komen, beladen met tassen en verbijstering. Ik zag dat ze op een paar meter afstand van ons bleef staan, aan de andere kant van het pad. Ze glimlachte. We keken elkaar aan.

'Ze loopt,' zei ik tegen haar, zonder mijn handen van Martina's armen af te halen. 'Zij heeft mij hiernaartoe gebracht.'

Toen gebeurden er dingen die voorboden waren van andere dingen en die later nog veel meer zouden verklaren. Het een na het ander, op een rij, zoals achtste en zestiende noten op een verder blanco partituur. Er gebeurden dingen die ik me ondanks de jaren altijd zo zal herinneren: de glimlach verdween van Constanza's gezicht en een koele windvlaag blies door haar haren. Martina keek op van de modder naar haar moeder, stak haar zwarte handen uit en liet een vrolijk gebrabbel horen, tjokvol goed nieuws. Even bleef Constanza staan waar ze stond, met gespannen schouders, de volle tassen in haar handen. Toen keek ze naar Martina, beet op haar lip en knipperde enkele tranen weg, die als ijspegels aan haar wimpers bleven hangen. Ik zag de moeder naar haar dochter kijken en begreep meteen dat ze niet huilde van vreugde maar van verdriet. En ik las in haar ogen de boodschap die mijn kleintje ontving, een nare boodschap, van een naar gevoel. Niet zo, luidde de boodschap. Niet met hem. Je had op mij moeten wachten, meisje. Je had voor mij moeten lopen, met mij. Met je moeder.

Constanza keerde ons langzaam haar rug toe en liep in de richting van het huis. Bij de vijver bleef ze staan, en zonder zich om te draaien, zei ze: 'Je moet het meisje naar binnen brengen, Rodolfo. Ik moet haar wassen voor we aan tafel gaan.'

Dat zei ze. Verder niets.

Martina hield haar armen uitgestrekt naar haar moeder, ze volgde haar zwijgend met haar ogen tot Constanza achter de hortensia's verdween die aan weerszijden van de stenen trap staan. Daarna draaide ze haar hoofd en keek mij aan. Ze glimlachte niet. De blik van verlating die ik in haar ogen las, trof me met een stelligheid waarop ik niet was voorbereid en waarop ik geen antwoord had. Verlating en schuld in de ogen van mijn kleine meisje in de modder. Ik boog mijn hoofd over haar heen en kuste haar kruin, ik bedekte haar zo veel mogelijk.

Ik kon toen niet weten dat ik die blik jaren later zou terugzien. En ook niet dat Martina, vanaf die middag in de tuin, in het krijt stond bij Constanza, en dat ze haar moeder om vergeving vroeg voor een niet-bestaand verraad. Martina maakte zich van mij meester zoals een orchidee zich meester maakt van zijn plekje in de zon. Ze bleef in mijn kamer, schuilde bij mij.

Tot ze op een dag, jaren later, meende de manier te hebben gevonden om ervoor te boeten. Maar ze vergiste zich.

Toen verloor ze ons beiden. En ze verloor zichzelf.

Tot vandaag.

Zoveel tijd ...

Donderslagen. De storm komt aanrollen over de oceaan. De lucht in de studio is zwaar en ik weet dat de nacht de nodige verrassingen met zich mee zal brengen. Meer dan slaap alleen. Ik krijg krampen en een steek in mijn zij. Ik hou mijn adem in. Dan steun ik met een hand op de dichte klep van de piano en strompel naar het bed dat Martina voor me heeft opgemaakt. Ik leg mijn badjas aan het voeteneinde en glip onder het dekbed. De pijn neemt even af. De eerste druppels tikken tegen het raam. Ze kondigen een lange nacht aan.

Lucas in het donker, genesteld in de bank in de woonkamer. Hij heeft zijn rug naar me toe gekeerd en zijn hoofd steekt boven de witleren leuning uit als een buste op een kast. Verderop het beeldscherm van de televisie en tegen de muren de weerschijn van de beelden die hun kleuren rondstrooien. Zo gaat het altijd de eerste avond. Lucas gaat naar de woonkamer en brengt uren door voor de televisie, kijkend naar papa's films, die oma bewaart naast de albums met krantenknipsels, familiefoto's en van die kitscherige kaartjes van onze doop en communie waarvan ik de naam altijd vergeet. Ik nader hem van achteren en leun naast hem tegen de leuning. Hij heeft het geluid van de televisie uitgezet.

Zo blijven we even zitten, kijkend naar het beeldscherm. Lucas knippert bijna niet met zijn ogen. Op het scherm discussieert papa met een vrouw in een appartement vol prullen, handtassen en oude meubels. Ik herken de scène direct. De ruzie eindigt met enkele klappen, die de regisseur later probeerde goed te praten, en die, zo vernamen wij later, niet in het script stonden. De actrice schoot uit, woedend als ze was op papa, in de warmte van die dag in Cádiz en met alle eisen van de regisseur. De klap van papa was een automatische reactie op een aanval. Oog om oog. Het is geen goede film, al speelt hij een fantastische rol.

'Is ie beter zonder geluid?'

Lucas kijkt me niet aan, maar glimlacht.

'Ik wachtte op jou.'

'Dat weet ik.'

'Ga je niet zitten?'

Nee, ik ga niet zitten. Nog enkele seconden stomme film, tot Lucas zich omdraait en me verveeld aankijkt.

'De dialogen zijn vreselijk.'

Ik steek mijn hand uit en aai door zijn haar. Zo zacht ...

'Dat zijn ze meestal. En niet alleen in de bioscoop. Zo zijn dialogen nu eenmaal.'

Hij moet lachen.

'Je hebt gelijk.'

Hij klopt op de bank, naast hem.

'Toe, kom even bij me zitten.'

Op televisie slentert papa nu door een straat vol cafés en terrasjes, hij groet iedereen die hij tegenkomt. Vast en zeker een geliefde man in de wijk.

'Heb je al nagedacht over de vraag?'

Dat is Lucas. Zijn ogen volgen papa, die glimlacht en geniet van zijn populariteit in de wijk, maar Lucas is bij mij. Het is lang geleden dat mijn broer bij me was.

'Ik heb er een,' antwoord ik. 'Maar ik weet niet zeker of het de juiste is.'

'Probeer maar.'

'Zeker weten?'

'Helemaal.'

De vraag die ik voor hem heb is zo simpel dat ik me schaam om hem te stellen. Maar ik ben niet bang voor het antwoord, zijn antwoord op mijn vraag.

'Denk je dat ik een goede moeder zou zijn?'

Hij kijkt me niet aan en ik weet dat hij dat ook niet gaat doen. We hebben eerder vergelijkbare gesprekken gevoerd, met papa op de achtergrond die hoffelijkheid en klappen uitdeelt aan de andere kant van het beeldscherm, en ons ineens aankijkt vanuit zijn hoofdrollen – niet echt een vader. Zoals nu. Hij kijkt ons aan vanuit zijn venster, één wenkbrauw opgetrokken. Papa de macho stierenvechter. De vraag heeft Lucas aan het denken gezet. Aan papa.

'Het lijkt erop dat papa het niet goed weet.'

We lachen. Allebei. Maar ik ben serieus, en dat weet Lucas.

'Ik meen het serieus.'

'Dat weet ik wel.'

Papa trekt zich terug. Nu komt hij bij de haven en groet een visser met wie hij na enkele beelden de zee op vaart.

'Nou?' dring ik aan.

Hij draait zich naar me om.

'Ik geloof dat het van je kind afhangt. Het lijkt me niet dat iemand a priori een goede vader of goede moeder is. Net zoals bij stelletjes. Je bent niet zomaar een goed stelletje. Het hangt van allebei af.'

Ja, natuurlijk. Wat simpel.

'Oké, Lucas. Maar je vergeet voor het gemak dat kinderen hun ouders niet zelf uitkiezen. Dus je vergelijking gaat niet op.'

Hij zegt niets. Hij lijkt na te denken. Ineens loopt de dvd vast en verspringt het beeld naar de eerste rol van papa, die we al hebben gezien. Papa kijkt ons nu roerloos aan. Lucas zucht en pakt de afstandsbediening, maar gebruikt hem niet.

'Denk je dat Hans je een goede moeder vindt?'

Die vraag bevalt me niet.

'Denk je dat mij dat iets kan schelen?'

Hij lacht zonder veel geluid te maken.

'Nee.'

Ik mag mijn broer wel. Ik hou van zijn nee's en van zijn ja's. Ze zijn wat ze zijn en brengen me niet in de war.

'Misschien moet ik Hans inruilen voor een kind.'

'Zou je het verschil merken?'

'Afgezien van het feit dat het kind geen Duitse piloot is, volgens mij niet.'

Lucas trakteert me op een van zijn bekende lachjes. Het is de lach die het einde van de eerste ronde inluidt. De bel die waarschuwt dat het vanaf nu menens is. Het gaat niet langer om de punten. Hij klopt weer naast hem op de bank en ik geef toe. Het leer kraakt een beetje onder mijn gewicht. Het is geen comfortabele bank. Wel een dure.

'Wat is er, Verónica?'

'Niets bijzonders.'

Hij bekijkt me zonder een vin te verroeren. Mijn antwoord interesseert hem niet.

'Niets wat ik niet alleen de baas kan.'

'Sinds wanneer hou jij van kinderen?'

Ik wist dat die vraag langs zou komen, maar had hem niet zo snel verwacht.

'Kinderen lijken op primaten. Sterker nog, mijn primaten zijn mijn kinderen. Volgens mij is er weinig verschil.'

'Zo.'

'Zo?'

'Er is wel degelijk verschil, Verónica. Kinderen groeien, worden volwassen en zijn telkens minder primaat en meer mens. Uiteindelijk zou je moederavontuur slecht aflopen, omdat je op een gegeven moment de moeder bent van een volwassen persoon, met zijn minpunten, zijn zonden, zijn tics, zijn minachting voor de natuur, voor het recyclen, voor het lot van dieren … al de dingen die jij niet kunt uitstaan. Of, wat op hetzelfde neerkomt, een lid van de mensheid. En als ik me niet vergis ben jij al zolang ik me kan herinneren winnaar van de jaarlijkse

Miss Ik-haat-de-mensheidverkiezing. Unaniem gekozen.'

Ik probeer te lachen, maar dat gaat niet. Papa prijkt
nog altijd op het scherm. Ineens vraag ik me af wat hij
zou denken als hij ons nu zag zitten, tegenover zijn glimlach, pratend als twee volwassenen. Zou hij trots zijn?
Op Lucas zeker.

'Weet je wat ik denk?' gaat Lucas verder, waarmee hij
mij uit mijn overpeinzing haalt.

'Nee.'

'Volgens mij lieg je.'

De bel voor de derde ronde luidt in de boksring, maar
ik kan me niet herinneren dat ik in een hoek mocht bij-
komen. Mijn broer heeft de spieren van een danser en ik
kan onmogelijk wedijveren met zijn fitheid. Ook niet
met zijn toewijding.

'O ja? Waarover dan, als ik zo vrij mag zijn?'

Hij kijkt me aan en ik doe het in mijn broek.

'Over meerdere dingen.'

Meerdere dingen, zegt hij. Misschien wel. Misschien
overleven we allemaal op die manier. Door te liegen.

'En jij niet?'

'Volgens mij hadden we het over jou.' Hij zegt het zonder zich te verdedigen. Het hoofd schuin. Vanuit de televisie moet papa zich afvragen wie van zijn kinderen de
oudste en wie de jongste is. Eigen schuld. Had hij maar
niet zo snel moeten gaan. Zonder waarschuwing. Zonder afscheid.

Lucas legt een hand op mijn knie en zijn aanraking
snijdt mijn adem af. Hij wil het weten, omdat ik belangrijk voor hem ben en omdat hij belangrijk vindt wat mij
aangaat. Hij wil helpen. Het is Lucas en het is waar. Ik
laat mijn bokshandschoenen zakken. Ik wil me overge-

ven aan mijn broer, maar ik ben uitgeput en als ik spreek, trilt mijn stem.

'Ze gaan de stichting sluiten, Lucas.'

Hij kijkt me roerloos aan. Zijn hand omvat mijn knie steviger, maar hij zegt niets. Opeens komt papa's beeld op de televisie weer tot leven. Nu vaart hij op zee met zijn vriend de visser en zie ik ze op het dek zitten praten en roken. Ze lachen.

'We hebben minder dan zes maanden om alle chimpansees over te brengen naar andere centra. We hebben onze laatste middelen verloren en de gemeente gaat er met hun deel vandoor. Om de zaak nog erger te maken, zijn vorige week twee chimpansees uit hun verblijven ontsnapt en op de snelweg beland. Ze zouden een groep wielrenners hebben aangevallen, maar zoals ik ze ken, weet ik gewoon dat die aantijging vals is. Waarschijnlijk waren ze gedesoriënteerd en schrokken ze van het verkeer. Maar zich agressief gedragen ... De politie heeft er een gedood en de ander gevangen. Zes maanden, Lucas. Dat is alles wat we hebben.'

Papa vaart de open zee op. Ik hoor Lucas door zijn neus ademen.

'En wanneer had je me dat willen vertellen? Of wilde je het helemaal niet vertellen?'

'Geen idee.'

Hij knikt langzaam. Papa kijkt weer naar het scherm en houdt zijn hoofd schuin.

'Waarom kost het ons in deze familie toch zoveel moeite om met elkaar te praten, nou, papa?' vraagt Lucas aan het stomme scherm. Hij streelt dromerig zijn keel.

'Ik denk niet dat hij antwoordt.'

Papa haalt zijn schouders op. Dat is zijn antwoord op het commentaar van zijn vriend, die hem zojuist heeft gevraagd of hij denkt dat de vrouw met wie hij heeft gevochten nog terugkomt. Lucas kijkt me aan en we glimlachen.

'Wat ga je doen, meisje?'

Meisje. Papa noemde me ook 'meisje'. Meisje. Zijn meisje.

'Ik weet het niet. Soms heb ik zin om alle chimpansees vrij te laten, zodat ze hier kunnen leven, en om een jachtgeweer te kopen en iedereen op straat neer te schieten.'

Hij kijkt me vertederd aan.

'Geen gek idee.'

'Maar ik ben te moe. Moe van al het vechten, van alle problemen. Van al het zwemmen tegen de stroom in. Moe van het feit dat ze me nooit serieus nemen. Verónica en haar apen. Verónica en haar bevliegingen. Mijn leven is geen bevlieging, Lucas. Zij zijn mijn leven, dat weet je.'

Hij glimlacht. Met zijn mond en met zijn ogen.

'Natuurlijk weet ik dat.'

'Dus?'

'Dus wat?'

Hij wil duidelijke vragen. Ik weet niet of ik die kan geven. Niet vandaag.

'Waarom helpt niemand mij, Lucas?'

Hij tilt zijn hand op en drukt op de pauzeknop van de afstandsbediening. Het beeld bevriest op een shot van de horizon boven de zee vanaf het bootdek, zodat we baden in het blauwe licht op de bank.

'Omdat je niet om hulp kunt vragen.'

O jee.

'En omdat je bang bent dat je iemand iets verschuldigd bent, of dat ze ontdekken dat je om hulp verlegen zit. Je rooit het liever in je eentje en roeit tegen de stroom in, in de veronderstelling dat je daar sterker van wordt. Maar in werkelijkheid, door je zo uit te sloven voor je dieren, blijf je jezelf verdedigen tegen de buitenwereld, en maak je jezelf afhankelijk van die bedreiging, voor alles wat zich buiten je veilige kooi bevindt.'

Het bevalt me niet. Dit gevecht staat me niet aan. Ik wil stoppen.

'Wat zou dat, Lucas. Volgens mij ben jij niet de aangewezen persoon om mij daarover de les te lezen, meneer Slaaf-van-de-dans.'

Hij blijft lachen, en dat maakt me nog bozer. Ik ben woedend, woedend op van alles, dingen die er nog zijn en dingen die er niet meer zijn. De nog bestaande dingen zijn opa en die quasihouding van hem alsof er niets gebeurd is. En zijn terugkeer en zijn hooghartige toontje. De dingen die er niet meer zijn bestaan uit papa en zijn digitale vissenkom, van waaruit hij me aankijkt zonder me te zien, hangend in de tijd als een hologram. Aan de andere kant. Wat is dat nou voor een vader? Welke klootzak van een vader gaat nou zo weg, doodgaan maar toch blijven, alles zien zonder te oordelen, klakkeloos toestaan dat we zijn stem afpakken wanneer we dat willen, door op een knopje te drukken zoals bij een robot?

'En jij hebt zeker geen angst, of wel?' sis ik tegen Lucas. Hij zwijgt.

'Misschien leg je het daarom altijd aan met mannen van tweemaal jouw leeftijd. Omdat je nergens bang voor bent, natuurlijk. Daarom dans je tot je erbij neervalt, dag in dag uit, geblesseerd, geobsedeerd. Het maakt niet uit.'

Ik sla onder de gordel en weet niet van ophouden. Hou me tegen, Lucas. Hou me tegen, want alleen kan ik het niet. Kom op, zeg iets, broer.

Stilte. Lucas hoort me aan met zijn ogen en met zijn

lichaam, gevangen in een spanning die hij goed beheerst. Hij weet dat wanneer ik aanval, ik het over mezelf heb. Hij weet veel voor zijn leeftijd, en dat is soms te veel voor mij en mijn geduld.

'Daarom doet niets je wat,' vervolg ik. Ik rol naar beneden zonder remmen, en ik haat het als ik mezelf zo hoor praten. Zo gewond. 'En daarom kon je opa makkelijk vergeven, zonder hem iets te vragen. Geen enkele moeite. Geen excuses. Hij zegt niets en wij evenmin, en er is hier niets gebeurd.' Mijn mond wordt droog en mijn kaken voelen stijf aan. 'Want er is wel degelijk iets gebeurd, Lucas. Papa zit aan het beeldscherm vastgeplakt omdat hij op een vrachtwagen is gebotst die vervloekte nacht, waarbij hij mama met zich meenam. Na een draaidag van twaalf uur pakte hij mama en ging hij de weg op omdat opa hem bij zich wilde hebben op de avond van zijn première, terwijl hij donders goed wist dat papa 's nachts liever niet reed en een zware dag achter de rug had. Hij wilde zijn zoon bij zich hebben, om samen op de foto te kunnen. Vader en zoon Hoffman succesvol in het Olympia. De kloteopa trekt aan de keurige zoon en de keurige zoon loopt het vuur uit zijn sloffen voor de kloteopa. Rodolfo en Fernando. Dat is er gebeurd. En mama, mama is ook nog overleden. En dat doet pijn. En zoiets vergeef je niet. Ik niet. En vertel me niet dat ik me verstop, want dat is waar, en ik hou er niet van als ze dat tegen me zeggen, verdomme. Ook al ben je mijn broer. Ik moet me wel verstoppen, want 's nachts lig ik zo te tandenknarsen dat ik met niemand kan slapen. Ik ben vijfendertig, Lucas, en ik voel me oud. Mag ik me soms niet verdedigen als niemand het voor me doet? Als niemand dat ooit voor me heeft gedaan?'

Lucas' hand schuift om mijn schouders en trekt me

naar zich toe. Teder is zijn gebaar en zacht is zijn trui tegen mijn huid. Teder is hij en ruw is mijn stem. Ik weet dat ik huil, want ik hoor me snikken, en zijn armen omhelzen me, wikkelen me in.

'Verónica,' fluistert hij.

Ik kruip tegen hem aan. Het is net wat ik nodig heb. Mijn broer doet me goed.

Dan dooft het beeldscherm, verdwijnt het valse licht van papa en rolt er een donderslag tegen de vensters van de woonkamer. Het regent. Het getik van de druppels tegen de ramen trekt mijn stem omhoog. Van binnenuit.

'Waarom heb ik geen rust, Lucas?'

Hij buigt zijn hoofd en drukt zijn lippen op mijn haar. Er verstrijkt een seconde die wel een heel leven lijkt te duren. Er gebeurt iets in zijn lichaam, dat ineens van temperatuur verandert. En er zijn emoties, het stormt en er komt een antwoord. Ik vlij me dichter tegen zijn borst en voel hem glimlachen.

'Dát is de vraag, meisje.'

Ik ben gek op stormen. Eerst de geur van ingedikt zout in de lucht en de zware, klamme windvlagen. Daarna de aarde die reageert op wat de zee aanvoert. Ik hou van de uren die eraan voorafgaan, de onrustige meeuwen en de brutaliteit van de donderslagen die dichterbij komen tijdens het eten, omgeven door wolken en elektriciteit. Het huis is sinds we hier met zijn vieren zijn weer een thuis. Zoals vroeger.

Verónica en Lucas in de witte kamer van mama, waarschijnlijk met haar grijsgedraaide platen en films van Fernando, zoals altijd als ze langskomen. Het nieuwtje is papa. Papa in zijn studio. Daar heeft al twintig jaar niemand geslapen of de piano aangeraakt. De toetsen zaten onder de klep. De muziek ook. Toen papa vertrok was het gedaan met de muziek in huis. We werden doof. Mama en ik werden doof.

Misschien wil hij morgen iets voor ons zingen, voor ons spelen. Laat zijn stem het winnen van de stilte. Ja, laat hem terugkeren.

We kunnen naar het strand, morgen, heeft Lucas gezegd toen hij me hielp bij het afruimen van de keukentafel. Dat gaan we doen, ja. Wij vieren. Opa, dochter en kleinkinderen. Als een familie, zoals het had gemoeten, ondanks degenen die er vandaag niet meer zijn.

Ik doe het licht in de keuken uit en loop door de gang naar mama's kamer. Het is een ingesleten traject, dat ik vandaag bij haar deur onderbreek omdat me ineens te binnen schiet dat ze er niet meer is. Ik zal haar niet vinden daarbinnen. Ik heb de dag hier zo lang beëindigd, ben zo lang stilletjes naar binnen geslopen en op het tweepersoonsbed gaan liggen, heb zoveel nachten naar haar ademhaling geluisterd. Te lang, ja. Ik blijf nog even tegen de deur leunen en ruk me dan los en loop verder naar de achterste kamer, die met het torentje, waar ik nu weer slaap.

De wanden, plafonds en vloeren van het huis zijn van hout. Toen we klein waren, noemden Fernando en ik het huis 'Het Galjoen'. Laten we naar Het Galjoen gaan, zei een van ons als we op het strand speelden. Dan renden we naar het huis, door de duinen en het bos en de uitgestrekte groene hellingen die het omringen als winterjassen. In onze ogen leek Het Galjoen op het klif een gestrande boot, met zijn twee ronde torens en de grote ramen in zijn ontelbare kamers, waar de seizoenen zich in spiegelen. En de zee, niet te vergeten de zee. Het huis zat vol avontuur. Overal viel iets te ontdekken: de plafonds met vakwerk, de levendige kleuren van de muren, de balustraden, de vloerverhoging, de wuivende palm bij de ingang, als een groene wachter. Er waren geheimen, geluiden, geesten. Na verloop van tijd kwamen we erachter dat de geheimen en de geesten niet bij het huis hoorden maar bij zijn bewoners, al kwam dat inzicht pas veel later. Toentertijd stond het in het dorp bekend als 'Het Huis van de Indiaan'.

Van hem had papa het gekocht. Van de indiaan, de rijke koloniaal uit Zuid-Amerika. Voor mama.

De donderslagen doorbreken nu de stilte van het huis van heel dichtbij en de eerste druppels vallen op de ramen. Rechts van me is de studio van papa. Het licht piept langs de openstaande deur. Misschien slaapt hij niet. Misschien heeft hij het zwaar. Ik ga eens even een kijkje nemen.

In het zwakke, gele schijnsel van het nachtlampje is het

bed een witte omtrek, bekroond met wat ik voor papa's hoofd hou. De studio is ruim opgezet en het bed staat bij de open haard, bij het raam. Ik kan papa's gezicht niet zien. Hij zal wel op zijn zij liggen, naar het raam kijken. Het vertrek ruikt muf en naar iets wat ik niet kan thuisbrengen, een zware geur. Ik wacht even om te zien of hij slaapt, terwijl de regen tegen de ramen slaat. De rust is hier anders. Het is een opgelegde rust, geen ware rust.

Ten slotte besluit ik weg te gaan en ik loop naar de schakelaar bij de deur om het licht uit te doen, als buiten een donderslag de duisternis begroet en een moment van absolute stilte creëert. Op de drempel hoor ik een lichte kreun, gevolgd door een nare hoest, die van dichtbij lijkt te komen en die meteen wordt opgeslokt door de donderslagen. De meisjes, denk ik bezorgd. Nee, de meisjes slapen in de keuken. Die kan ik vanaf hier niet horen. Laat maar, het is niets. Ik wacht nog even met mijn hand op de deurkruk, gespitst op de bekende geluiden van het huis, tot ik opnieuw het doffe gepruttel en een kreun hoor, heser ditmaal, menselijker. Mijn hart klopt in mijn keel.

'Papa?'

Stilte. De uitgestrooide helderheid van de bliksems verlicht van buitenaf de tot nu toe roerloze figuur die op het bed ligt.

'Papa, gaat het?'

Eindelijk kruipt de figuur in elkaar en antwoordt papa zonder zich om te draaien.

'Ja, schat.'

Ik blijf bij de deur staan. Er zit te veel ruimte tussen wat zijn stem zegt en wat ik erin hoor. Er is meer dan papa, iets wat liegt.

Ik doe het licht weer aan en ga naar het bed.

'Papa.'

Hij ligt nog met zijn gezicht naar het raam, opgerold onder het dekbed. De geur is nu intens, zuur en ranzig. Het licht van het bedlampje schijnt op zijn natte haren, en laat een natte kring op het kussen zien rond zijn hoofd. Nee, papa is niet in orde en verstopt zich. Mijn hartslag versnelt als ik om het bed heen loop en ontdek wat hij verbergt. Dan kruisen onze blikken elkaar. Mijn keel wordt droog.

Papa hangt over de rand van het bed, pal boven een enorme plas vers braaksel, die nog uitloopt over de vloer. Zijn haren zijn kletsnat en zijn voorhoofd is helemaal bezweet.

'Papa …'

Hij knippert met zijn ogen, maar zegt niets. Zo blijft hij even hangen, over de rand van het bed als een oude lappenpop, tot hij bijkomt en zijn hoofd optilt. Zodra hij me ziet, fronst hij zijn voorhoofd en trekt hij het dekbed helemaal over zich heen. Ik weet niet wat ik meemaak. Ik weet niet wat ik moet doen, meer uit het veld geslagen door zijn reactie dan door het braaksel bij mijn voeten.

'Wat scheelt je, papa?'

Hij spreekt vanonder het dekbed.

'Niets.'

De regen valt nu met bakken uit de lucht. Miljoenen glazen kralen op een marmeren vloer.

'Hoezo niets? En dit braaksel dan?'

Geen woord. Hij duikt nog dieper onder het dekbed.

'Dat lag er al. Het is vast van je gremlin.'

Even denk ik dat hij ijlt. Het zal de koorts zijn. Hij ademt zwaar. In een nacht als deze hoef je niet te rekenen op hulp van buiten. Maar het duurt niet lang voordat ik begrijp dat het niet van de koorts komt, al heeft hij die beslist wel. Het is gewoon papa. En ik weet op slag dat dit geen eenvoudige nacht zal worden. Niet met hem.

'Het is van jou, papa. En je hebt koorts. Je bent niet in orde.'

'En jij bent een bemoeial.'

Ja hoor, hij is terug. Dát is papa. En de stank die me tegemoetkomt uit het bed is zo penetrant dat ik zowat kokhals.

'Kom eruit.'

Niets.

'Papa …'

'De gremlin moet iets verkeerds hebben gegeten,' houdt hij vol met gedempte stem onder het dekbed. 'Het verbaast me niets dat de anderen haar niet mogen. Een vies varken.'

Ik sta op scherp, want ik voel dat er iets niet klopt, maar zelfs nu, ondanks mijn bange vermoedens, kan ik een glimlach niet onderdrukken. Dat hoeft ook niet, want hij kan me toch niet zien.

'Kom eruit.'

Niets.

'Ook goed. Dan ga ik de dokter bellen. Ik ben zo terug.'

Ik verroer me niet. Nog geen seconde later beweegt de bult zich langzaam, tot papa's hoofd boven het dekbed verschijnt. Eerst zijn natte haren, dan zijn voorhoofd en zijn ogen. Tot daar. Twee fonkelende ogen als die van een bang konijn in het licht, geflankeerd door twee handen met witte vingers, die het dekbed krampachtig vasthouden.

'Ik ben er al uit,' zegt hij.

Hij kan moeilijk serieus doen, ondanks de toestand waarin hij zich bevindt. Ondanks alles.

Ik ga naar hem toe, buig over zijn half verborgen gezicht en wil een hand op zijn voorhoofd leggen. De ogen verdwijnen onder het dekbed.

'Ik wil alleen even zien of je koorts hebt.'

'Dat heb ik,' zegt hij.

'Dan ga ik de dokter bellen.'

'Geen denken aan,' zegt hij snel, en hij steekt zijn hoofd boven het dekbed uit. 'Als jij er een witte jas bij haalt, voer ik je morgen aan de gremlins, dat zweer ik je.'

Ik zeg niets.

'Ik zei toch dat het niets voorstelt. Het zijn de diverti-kels. Ze spelen op. Ik moet rusten, dat is alles.'

Hij liegt. Of misschien ook niet. Met hem weet je het nooit.

'Prima. Maar het dekbed is nat en ik moet dit braaksel opruimen, dus zou je zo vriendelijk willen zijn om uit bed te komen.'

Floep. Hij verschanst zich weer onder het dekbed. Een beer onder een ijsschots.

'Dat kan ik niet.'

'Hoezo kun je dat niet?'

'Nee.'

'Waarom niet?'

'Daarom niet.'

Mijn geduld begint op te raken. Het was een lange dag en ineens heb ik geen zin om te bakkeleien met een oude stijfkop die zich in het holst van de nacht met hand en tand verzet.

'Omdat ik niets aanheb.'

Ik kan het niet geloven. Ik geloof hem niet. Al zolang als ik hem ken, schept papa op over zijn uitgebreide ver-zameling pyjama's. Hij heeft ze in alle soorten en maten. Toen hij vertrok, was mama dagenlang bezig dozen en laden leeg te halen. Ze liet ze verbranden in de tuin.

'Je liegt, papa.'

Hij steekt een hele preek af, waar ik niets van begrijp en die klinkt als een reeks verwensingen van een weerloze bejaarde. De storm hangt nu boven ons en de bliksemschichten en donderslagen stapelen zich op als vuile borden, zonder pauze. Mijn geduld is op. Ik pak het dekbed en trek het naar me toe, maar daar is hij op voorbereid en hij beantwoordt mijn ruk verrassend snel. Ik val bijna op hem.

'Genoeg, papa!'

Nog een korte verwensing die ik niet versta. Wat is die ouwe toch koppig. Ik besluit het over een andere boeg te gooien. Langzaam loop ik naar het voeteneind, ik grijp het dekbed beet en trek het uit alle macht opzij. Dat had hij niet verwacht, en hij verliest zijn schuilplaats.

Dan begrijp ik het.

Nu het dekbed op de vloer ligt, kruipt papa nog meer in elkaar. Hij probeert het onmogelijke te verbergen, terwijl een dichte stankwolk me in het gezicht slaat. Als vanzelf knijp ik mijn neus dicht. Papa kijkt me verschrikt aan, afgetekend tegen het besmeurde wit van het hoofdkussen. Zijn pyjamajas is klam en zit vastgeplakt aan zijn borst, de pyjamabroek is doordrenkt van een donkere vloeistof, die ook in het matras zit, en een mengeling is van urine en diarree. We kijken elkaar sprakeloos aan. Dan trekt hij een wenkbrauw op en grijnst.

'En wie bent u?'

Ik begrijp hem niet en dat heeft hij in de gaten.

'Als u een interview wilt, moet u mijn manager spreken. Ik kan u op dit moment niet te woord staan, mevrouw.'

Zijn stem heeft een vreemde toon die me verontrust. Is dat papa's stem? Voor één seconde overschaduwt een breuk in het raderwerk van zijn vijfentachtigjarige, over-werkte hersenen de studio en word ik in een hoek ge-drukt bij de angst die zijn blik in mij heeft opgewekt.

'Ik ben het, papa.'

Hij zucht van ergernis, ontspant zijn voorhoofd en sluit zijn ogen.

'Inderdaad. En ik ben ik.'

Hij is het. Papa is hier, met mij gestrand in de storm als een luxeschipbreukeling op het bed. Ik haal opgelucht adem en vang de strijd opnieuw aan.

'En het lijkt erop dat er iemand in mijn bed heeft ge-scheten, meisje,' merkt hij op. Hij houdt één oog dicht, zoals een kind dat naar een enge film kijkt. 'Dat is één mogelijkheid, het kan ook zijn dat je toe bent aan een nieuwe wasmachine.'

Ja, hij is het. Geen twijfel mogelijk.

'Ik zou zeggen dat jij erin hebt gescheten, papa.'

'Hihihi.' Hij giechelt. Papa lacht als een ondeugend kind dat zojuist is betrapt. En hij lacht zoals ik het me niet herinner. Ontspannen. Zonder iets te verliezen en zonder schaamte.

'Papa.'

Hij blijft giechelen, tot hij ten slotte weer de blik aan-neemt van een elegante heer. Ik ga naar hem toe en steek mijn hand uit, een gebaar dat hij beantwoordt met een diepe frons.

'Wat?'

'Geef me je hand.'

'Waarom?'

'Omdat ik je help uit bed te stappen en naar de badka-mer te gaan. Ik ga je wassen.'

'Jij raakt me niet aan.'

'Geef me je hand.'

'Dat is niet nodig. Ik kan het alleen wel.'

'Nee, papa. Met de koorts die je volgens mij hebt, is het beter als ik je help. Daarna zal ik je bed verschonen.'

Hij slaat zijn armen over elkaar.

'Daar begint het mee, en vervolgens doe je me een luier om en bel je de pers om me op de foto te laten zetten.'

Ik wacht. Ik hou mijn hand uitgestoken.

'En als ik niet wil?'

'Dan zal ik Lucas vragen of hij me wil helpen. Of misschien niet. Ik kan het beter aan Verónica vragen.'

Hij knippert met zijn ogen, doodsbenauwd. Zogenaamd doodsbenauwd.

'Nee! Niet die apendoder!'

We schieten allebei in de lach, maar ik hou mijn arm gestrekt en hij kijkt me met een schuin oog aan.

'Vind je dat niet walgelijk?'

Ik begrijp hem niet.

'Mij wassen. Ik zit onder de … poep. Walg je daar niet van?'

'Geef me je hand, papa.'

Hij zucht en veegt een natte haarlok weg die aan zijn voorhoofd plakt. Dan kijkt hij me recht aan, terwijl de storm in volle hevigheid op het huis neerdaalt en een gordijn van water over ons heen trekt.

'Oké,' zegt hij, en hij zet kreunend één voet op de vloer. Hij legt onbewust een hand op zijn buik. 'Maar op één voorwaarde.'

Ik had het kunnen weten. Papa en zijn voorwaarden.

'Twee eigenlijk.'

'Laat maar horen.'

Hij zet zijn andere voet op de vloer en kromt zijn tenen als hij de koude vloer aanraakt.

'De eerste luidt dat je dit aan niemand vertelt. En al helemaal niet aan die twee,' zegt hij, en hij wijst met zijn kin naar de deur.

'En de tweede?'

'De tweede ...' Ineens onderbreekt hij zichzelf en laat hij zijn kin zakken. Vanaf hier zie ik zijn witte haardos, die tegen zijn kruin zit geplakt als een kleine draaikolk. Hij ziet er klein uit, zo teer dat ik hem het liefst zou omarmen en stevig tegen me aan wil drukken. 'De tweede voorwaarde,' zegt hij zonder op te kijken, 'is dat wanneer je van me walgt, je dat niet laat merken. Want dat zou ik niet kunnen verdragen, meisje.'

Ik slik.

Een donderslag verscheurt de stilte en het water boven onze hoofden.

Papa's hand sluit zich om de mijne.

En ik trek hem omhoog.

Naar me toe.

Waarom heb ik geen rust, zegt Verónica. Dát is de vraag. En nu wacht ze op een antwoord, dat ik haar niet kan geven, want antwoorden is niet mijn sterkste punt. Bij haar ben ik beter in vragen stellen.

Het regent niet meer en de storm trekt landinwaarts, verder de nacht in, om zich te voeden met de wisselende luchtstromen die hij tegenkomt. De regen heeft ons met rust gelaten en we zitten voor het open raam. De stereo speelt een Engels liedje dat opa jaren geleden heeft gecoverd achter de piano en dat de witte ruimte van de woonkamer vult. Verónica heeft het opgezet.

'Opa klinkt niet verkeerd,' zegt ze terwijl ze haar longen volzuigt. Opa weet het niet, maar Verónica is gek op zijn muziek. Dat weet hij niet omdat ze hem dat nooit heeft verteld.

Hij klinkt inderdaad goed. Met name in liedjes zoals dit. Alleen hij en de piano. 'I wish I had a river I could skate away on,' schalt opa met zijn hese stem uit de luidsprekers. Het is een kerstliedje, een droevig liedje. Toen opa het had opgenomen, zond hij ons beiden een cd met een kopie. Het was Kerstmis. Verónica had vrij genomen om mij op te komen zoeken in Amsterdam, waar ik toen danste. Op de hotelkamer luisterden we in stilte naar het lied en daarna maakten we een wandeling door de stad. Op de bevroren grachten schaatsten mensen tussen de bruggen en wij zagen ze voorbijglijden, met opa's stem nog in ons hoofd. En de mensen op het bevroren water leken het ook te horen, ze gleden over het spiegelende ijs als over de toetsen van een piano. We hadden het fijn samen, ver weg van alles. Als we hadden kunnen schaatsen, waren we ook het ijs op gegaan.

'Sorry voor zo-even,' zegt Verónica zonder me aan te kijken. Ik voel haar naast me zitten en haar nabijheid brengt op dit moment een hoop mooie herinneringen naar boven. Ik geef geen antwoord.

'Dat je altijd verliefd wordt op mannen die je vader hadden kunnen zijn.'

O, dat. Ik glimlach. Verónica blijft me verbazen.

'Ik wilde je niet kwetsen.'

'Dat weet ik wel.'

Even klinkt alleen de piano, zonder zang. Het zijn subtiele tonen, zoals de voetstappen van een mug op een spiegel.

'Deed het pijn?'

'Nee.'

'Waarom niet?'

Opnieuw vragen. Verónica en ik kunnen goed met elkaar overweg. We schaatsen hand in hand over opa's piano.

'Omdat het waar is.'

Ze draait zich naar me om en ik steek een sigaret op.

'En?'

'En niks. Het is de waarheid. Daarom doet het geen pijn.'

Verónica's logica en de mijne stroken niet altijd met elkaar, vooral niet als ik kort van stof ben. Zij wil altijd meer: de details, de kleine lettertjes. Ze snuift en schudt haar hoofd.

'En wat heeft dat te betekenen? Dan zouden alleen dingen die niet waar zijn kunnen kwetsen.'

Het liedje is afgelopen en laat ons in stilte achter. Voor ons, aan de andere kant van het venster, scheert de wind langs de bomen.

'Zo is het.'

'Dat slaat nergens op.'

Ze gaat staan, loopt naar de stereo en start hetzelfde liedje nogmaals. Bij de eerste noot zit ze alweer naast me.

'Er zijn vast een heleboel dingen die waar zijn en die ook kwetsen.'

Ik zeg niets.

'Wedden?'

We spelen. Verónica is wakker en wil zoals gewoonlijk zo veel mogelijk uit onze korte ontmoeting halen. Alsof er geen morgen komt. Soms, zoals nu, hou ik van haar zoals mensen doen die echt van iemand weten te houden. Ik zou het niet kunnen verklaren, maar het is waar. En het doet geen pijn.

'Wat je maar wilt,' zeg ik. 'Ik wed om wat je maar wilt.'

'Goed. Als ik win, wil ik dat je mij voor je vertrekt het stuk laat zien dat maandag in première gaat.'

Ik frons. Daar heb ik moeite mee. Een stuk showen voor de première brengt ongeluk. Dat weet ze.

'En als ik verlies …' gaat ze verder, opgetogen met het spel.

'Als jij verliest,' val ik haar in de rede, en ik geef de sigaret door, 'wil ik dat je om hulp vraagt. Dat je het waagt.'

Ze blaast de rook door haar neus en kijkt me aan. Ze knijpt haar ogen tot spleetjes.

'Dat ik het waag?'

'Dat je opa om hulp vraagt bij het probleem van de stichting. Ik weet zeker dat hij iets kan doen. Hij kent de halve wereld.'

'Geen denken aan.'

Ze geeft me de sigaret terug en staart in de duisternis.

'Wat een gokker. Ik dacht dat je meer zelfvertrouwen had, zusje.'

Ze houdt haar lippen stijf op elkaar. Je bent een slechte verliezer, Verónica. En behoorlijk koppig.

Ik druk de sigaret uit in een holte in het kozijn waar nu water in staat en sta op.

'Jammer. Misschien een andere keer. Ik denk dat ik maar eens naar bed ga.'

Verónica legt een hand op mijn arm en knijpt me als een tang, zonder me aan te kijken.

'Ga zitten,' zegt ze binnensmonds. Ik voel haar vingers in mijn onderarm drukken. 'Ik doe mee.'

Mijn glimlach ontgaat haar. Het is niet de glimlach van een winnaar. We gaan spelen. Wij tweeën.

'Drie waarheden,' zegt ze terwijl ik weer naast haar ga zitten. 'Ik zal je drie dingen vertellen die ik nog nooit aan iemand heb verteld. Als jij je door een ervan gekwetst voelt, heb ik gewonnen.'

'Maar zo niet, dan weet je wat je te doen staat,' zeg ik.

Ze tuit haar lippen.

'Ja ja. Ik weet het.'

'Goed, begin maar.'

Eerst zegt ze niets. Vanuit het bos, dat voor ons weer op adem komt, klinkt de roep van een uil die zich na de storm klaarmaakt om te gaan jagen. De wind is gaan liggen en overgegaan in een briesje vol geuren, dat steeds van richting verandert dankzij het staartje van de storm. Ten slotte spreekt Verónica.

'Ik schaam me als ik je zie dansen,' zegt ze.

De uil roept.

'Waarom?'

'Omdat je te perfect bent,' antwoordt ze. 'En omdat je zo in jezelf gekeerd danst, alsof er niemand in de buurt is.'

'Ik begrijp je niet.'

'Het is heel simpel. Als ik je zie dansen, zie ik wat het publiek ziet en ook wat het niet ziet. Wat het publiek ziet, is een man die zich zo kan inleven in de muziek dat hij zich er helemaal in verliest. Wat ik zie, is een man die de muziek en de dans gebruikt om er niet te hoeven zijn. Je bent een toneelspeler. Met het leven; je spéélt je leven, Lucas. Je beweegt alsof het niets is, draait alsof het niets is, springt alsof het niets is … maar dat komt omdat er niemand in jou zit. De danser is hol vanbinnen, en als ik je zo bekijk, denk ik bijna dat de man dat ook is. Het lijkt wel wat op zo'n circus dat 's zomers door de dorpen trekt. Vanaf de weg is het circus één groot feest: de tenten, de beschilderde kooien, de lampjes. Maar na de voorstelling kunnen de clowns niet om zichzelf lachen, hebben de leeuwen rotte kiezen en weten de trapezewerkers niet eens de naam van het dorp waar ze al een week bivakkeren, omdat ze al hun hele leven onderweg zijn.'

De stilte valt opnieuw. Verónica zoekt in mijn broekzak naar een sigaret. Als ze er eindelijk een vindt, brengt ze hem langzaam naar haar mond. Zo blijft ze even zitten, met de sigaret bungelend boven de vloer als de loshangende stang van een trapeze. Ze is nog niet uitgesproken.

'Je danst slecht, Lucas. Je danst slecht omdat je niet voelt wát je danst, maar alleen hóé je danst.'

Ze vindt de aansteker op de natte vensterbank en speelt ermee voordat ze hem gebruikt. De vlam verlicht haar ogen. Droevig. Ze staan droevig.

'En het doet me pijn dat jij niet aanwezig bent, Lucas. Dat je leeft zoals je danst.'

Ze ademt in. Ze ademt uit. Rook.

'Harteloos.'

Er zou tijd moeten zijn om alles te overpeinzen, die

zou ik mezelf moeten geven, en die zou zij me moeten geven. Ik zou alles wel zin voor zin willen terugluisteren, om het te begrijpen, uit te pluizen en uit te zoeken waar het vandaan komt en waarom. Maar dit is niet de nacht van tijd, maar die van de waarheden en de leugens, en Verónica zit naast me te wachten tot ik iets zeg. Tegen haar zeg. Ze kijkt me aan.

'Je hebt gelijk.' Het is mijn stem en dat stelt ze op prijs. 'Je hebt helemaal gelijk.'

'Dat wist ik al.'

'En het doet geen pijn.'

Ze kreunt van ergernis.

'Klopt. Ik merk het.'

'Maar je had het me eerder mogen vertellen.'

'Eerder? Wanneer dan?'

'Hoe lang denk je er al zo over?'

'De waarheid?'

'Ja.'

'Goed, maar deze telt niet, toch?'

'Nee, deze telt niet.'

'Vanaf het moment dat je uit de klassieke dans stapte. Sinds je Londen verliet.'

'En waarom heb je het al die tijd voor je gehouden?'

'Omdat je mij er nooit naar hebt gevraagd.'

'Goed antwoord.'

'Ja.'

Ja, zegt ze. Het is een gemakzuchtig ja, niet echt iets voor haar. Ze wil hier niet dieper op ingaan. Ze wil winnen. Verónica wil altijd winnen.

'Zullen we verdergaan?'

'We gaan verder.'

Nu zit buiten een stel vleermuizen achter elkaar aan. In de rust die de storm heeft achtergelaten, vormen de muggen en de motten nieuwe wolken. Het leven keert terug.

'Het gaat over mij,' begint ze uit het niets. Een schaduw maakt zich los van de toppen van de bomen en blijft even in het luchtledige hangen. Het is de uil. Hij is op jacht. 'Ik ben zwanger, Lucas.'

De uil blijft in de lucht hangen en zweeft zelfverzekerd boven de tuin.

'En ik wil het niet houden.'

Ik zeg niets. Verónica volgt zonder het te weten met haar ogen de schaduw van de uil. Even vraag ik me af of ik haar iets moet vragen. Ik besluit van niet.

'Ik wil het niet houden omdat het niet van Hans is en omdat ik geen plaats heb voor het kind, en dat spreekt niet in mijn voordeel, Lucas, het laat me van mijn slechtste kant zien. En omdat ik weet dat ik er nooit van zal houden zoals mama van ons hield, zo oprecht en natuurlijk. Zo ... moederlijk. Als je me kunt volgen.'

'Ja, hoor. Je bent duidelijk.'

'En ik denk ook dat als ik het wel hou ... en ik dan ineens wegval ... ik ...'

Ik zie haar gezicht niet. Alleen haar gebogen schouders en haar gespannen houding, voorovergebogen naar de duisternis. Haar stem laat haar in de steek en ik ben ook sprakeloos. Nu zij zo breekbaar en zo gewond is, breek ik in duizend stukjes.

'Wil je dat ik zeg wat ik denk?'

Ze schudt haar hoofd. Als Verónica het niet wil horen, komt dat door het verdriet. Veel. Ik slik.

'Nee,' mompelt ze, nog altijd van me afgewend. 'Ik wil dat je zegt of het je pijn doet.'

Ik weet niet of we nog altijd spelen. En ik weet ook niet of ik zonder haar aan te kijken duidelijk kan maken tot op welke hoogte haar leven en alles wat ze meemaakt, bijna meer van mij is dan van haar. Zonder Verónica in de wereld zou Lucas zijn wat er van Lucas overbleef, omdat ik met haar zou zijn gestorven.

'Hoe kan mij dat nou geen pijn doen, meisje?' zeg ik met gebroken stem en met een hand op haar schouder. Onder mijn aanraking krimpt ze nog verder in elkaar. Even blijven we ademen, ieder zijn eigen lucht, tot ze me ineens aankijkt, en de uitdrukking op haar gezicht me tegen de rugleuning van de bank werpt.

'Dan is het blijkbaar niet waar,' zegt ze grijnzend, met een opgetrokken wenkbrauw zoals ik alleen bij opa heb gezien toen hij voor de spiegel oefende. 'Het is een leugen, broertje! Het was niet waar en je was gekwetst. Dan heb ik dus verloren, verdomme.'

Nee, we zijn niet gestopt met spelen.

'Jij, doortrapte ...'

'Maar, kom op ...' stopt ze me af, met een hand in de lucht. 'Dacht jij nu echt dat ik zo dom ben om zwanger te raken, met alles wat mij te wachten staat? En van een andere vent dan Hans?'

Ik ben nog altijd knock-out door haar smerige spelletje en heb niet zo snel een antwoord klaar. Maar ze wacht.

'Nee wat betreft de eerste vraag,' zeg ik. 'Ja wat betreft de tweede.'

We kijken elkaar aan en beginnen te lachen. We lachen allebei en vegen de valse pijn uit die ze inzette en die zich tegen haar keerde. Verónica lacht als opa. Zoveel overeenkomsten en zo ver van elkaar verwijderd ...

'O, jongen. Je raakt onmogelijk zwanger van een kerel die met je neukt alsof hij een vliegtuig bestuurt,' flapt ze er plotseling uit. 'Nu druk ik op dit knopje en het toestel stijgt duizend voet, nu op dat om via de intercom met de bemanning te praten. En als dat niet de gewenste reactie oplevert, ligt dat aan het toestel.'

Weer een lachbui. Haar verhaal klinkt een beetje verbitterd. Ze zegt dingen gekruid met een laagje humor.

'En dan wordt hij nerveus omdat de handleiding hem niet verder helpt. Vervolgens begint hij te zweten en overal op te drukken als een gek met een vastgelopen computer. Tik, tik, tik. Knopjes, knopjes, knopjes. Alarm.'

Verónica houdt haar armen in de lucht. Ze beweegt haar duimen, drukt op denkbeeldige knopjes en schakelaars, met haar tong uit haar mond als een halvegare.

'En weet je wat ik doe?'

'Nee.'

'Nee?'

'Nee.'

Ze zucht gelaten en kijkt me ondeugend aan.

'Ik zet de automatische piloot aan en wacht op de noodlanding terwijl ik droom van de brandweermannen die me op de landingsbaan opwachten.'

Lachend komen we van de bank en vliegen over de witte meubels van de woonkamer. We zweven zonder motor over de televisie, de stereo en de oude houten vloer. We kijken op alles neer en zien onszelf lachen en kracht putten uit het geschetste beeld. We zijn dicht bij elkaar, zij en ik, en zoals altijd wanneer we dat zijn, verdwijnt al het andere naar de achtergrond. En zo gaan we door, we genieten van het moment, totdat zij besluit hier en nu te landen, door mij naar beneden te trekken.

'Ik heb nog één kans,' zegt ze, de tranen van haar wangen vegend.

'Ja.'

'Het is lastig.'

'Wil je een beetje hulp?'

Ze kijkt me vragend aan.

'Dat is niet nodig.'

Ik glimlach. Ze kijkt me aan.

'Zal ik het liedje nog eens draaien?'

Ze schudt haar hoofd.

'We kunnen naar buiten gaan. De tuin in. Een stukje lopen.'

Er zijn nog meer muggen en vleermuizen bij gekomen. Het is laat, maar we hebben geen slaap en de nacht ligt er uitnodigend bij.

'Laten we gaan.'

Verónica opent de glazen deur en een frisse wolk geuren stroomt het huis in. Ze geeft me een hand en samen dalen we de vijf krappe treden af die ons scheiden van het gazon. Eenmaal beneden blijft ze staan. Ze sluit haar ogen en haalt diep adem.

'Maar nu doen we het anders.'

De uil vliegt laag, hij zweeft hongerig boven onze hoofden. Verónica kijkt hem na tot ze hem uit het oog verliest.

'Stel mij maar een vraag,' zegt ze. 'Iets wat je wilt weten. Iets wat me helpt.'

Er schieten me dingen te binnen, dingen die ik meteen opzijzet. Verónica is op verandering uit en ik weet niet of ik haar daarbij kan helpen. Op slag bedenk ik dat ze misschien op een vraag zit te wachten die ze in mij hoort als we bij elkaar zijn en die ik niet ontwaar, een sleutel waarmee ze een deur wil openen die ik niet zie.

Een tijdlang doorzoek ik mijn hoofd zoals je met een oude tas doet die op het strand is achtergelaten, op zoek naar aanwijzingen om de eigenaar te achterhalen. Ik haal papieren overhoop, een nat geworden portefeuille, een handvol sleutels zonder hanger. Ik denk aan opa en aan zijn onverwachte komst. Maar ik denk ook aan oma die er niet meer is, en haar beeld brengt me naar het kerkhof en naar opa die op haar graf ligt, met zijn bungelende voeten en zijn zijden kousen die uit de broekspijpen steken. En op zijn ontwijkende antwoord op mijn vraag. Ik haal me zijn gespannen en geïmproviseerde stem voor de geest en zijn listige afleidingsmanoeuvre, die van een sluwe vos.

Dan vindt mijn hand in een van de vakjes van de tas een beduimeld, klam label met de naam van de eigenaar. Daarop staat mijn vraag. Die Verónica van me wil horen.

'Hoe paste hij erin?'

Ze kijkt me vragend aan.

'Papa. Als hij even lang was als ik. Hoe paste hij in de kist?'

Verónica knippert met haar ogen en trekt me mee naar de tuin. De uil roept en op zee blaast een schip zijn hoorn om aan te geven dat de wereld nog draait. Ik voel Verónica's vingers tussen die van mij en laat me meevoeren over het natte gras. De duisternis tegemoet.

'Als jij je hand niet weghaalt, kan ik er niet bij.'

'Jij mag daar helemaal niet komen.'

'Wat zou dat.'

'Ik kan het alleen wel.'

'Niet waar. Je kunt nauwelijks op je benen staan, papa.'

'…'

'Niet tegensputteren, alsjeblieft.'

'Het kietelt.'

'Maar ik heb je nog niet eens aangeraakt!'

'Liegbeest.'

'Als je niet ophoudt, sla ik je met het washandje.'

'Dan geef ik je aan, viespeuk. Je raakt me daar niet aan.'

'Ik moet je wassen. En daar ben je het smerigst.'

'Dat is de schuld van die gremlin van jou.'

'Nonsens.'

'Helemaal niet. Ik zag hem op mijn bed springen. Let eens op de stank. Dat is van alle rommel die je hem voert.'

'Begin nou niet weer.'

'Oef!'

'Is het te koud?'

'Nee.'

'Ik ben bijna klaar. Sta stil.'

'Hihihi, niet daar!'

'Genoeg nu, papa. Of je stopt of ik zet je onder de koude douche. Ik meen het.'

'Martina.'

'Wat is er?'

'Volgens mij word ik misselijk.'

'Serieus?'

'Oei. Tina, meisje.'

'Papa! Gaat het?'

'Dat weet ik niet meer.'

'Wat niet?'

'Hoe het met me gaat. Alles ging zo snel …'

'Hier. Dat was alles.'

'Toe maar, op een onbewaakt moment ga jij een hulpe-loze oude man in zijn nakie te lijf met een washandje. Een viespeuk, je bent een viespeuk.'

'Goed. Nu nog even afspoelen met lauw water en klaar is Kees.'

'Je had verpleegster moeten worden, meisje.'

'…'

'Van gevangenen. Het enige wat ontbreekt is een zweep.'

'Als je me aan het lachen maakt, wordt het alleen maar erger, ik waarschuw je.'

'De snor heb je al.'

'Papa!'

'Kijk eens wat ik voor je heb … blrblrblr.'

'Doe die tong weg.'

'Zeg …'

'Wat?'

'Ik zit niet zo strak meer in mijn vel, of wel?'

'Wat kan mij dat nou schelen.'

'Kijk eens hoe het hangt, kijk dan. Blrblrblr …'

'Hou eens op met die flauwe grappen, oké?'

'Nou, wat een aanfluiting, zeg! Kom je thuis na twintig jaar en dan geven ze je bescheten lakens alsof je een dak-loze bent.'

'Jij zou je moeten schamen voor zo'n koppig en ver-ward hoofd. Ik had de dokter moeten bellen. Kom. Nu je haar.'

'Ahhhg.'

'Bijna klaar.'

'Zeg …'

'Wat?'

'Jij hebt toch niet iets door de soep gedaan, of wel?'

'Door de soep? Welke soep?'

'Die bij het eten.'

'Dat was geen soep, papa. Dat was vichyssoise.'

'Aha.'

'Goed. Blijf even staan, dan pak ik een handdoek.'

'Noem je dat vichyssoise?'

'Zwijg. Ploert dat je d'r bent.'

'Hihihi.'

'…'

'Weet je wat ik denk?'

'Nee.'

'Dat je mij probeerde te vergiftigen. Jij en die duivelse kinderen. De apendoder en de dansmarieke.'

'…'

'Waar lach je om?'

'…'

'Ja ja, lach maar. Ik zeg je één ding: verwacht niet dat je ook maar één cent erft van mijn auteursrechten.'

'Niet bewegen.'

'Geen cent, hoor je. En dat stel paradijsvogels ook niet.'

'Zo praat je niet over je kleinkinderen.'

'Ik neem geen blad voor de mond. Kijk maar, kijk. Blrblrblr …'

'Wil je dat ik je een luier omdoe?'

'Waar?'

'Ach, papa, toe nou. Mijn geduld is op, hoor. Echt.'

'Het mogen er ook twee zijn.'

'Hoezo twee?'

'Twee. Luiers. Een om elke arm. Met al die regen worden

we beslist overspoeld. Het zullen mijn zwembandjes zijn.'

'Serieus nu. Wil je er een of niet?'

'Je bent niet goed snik. Wat ik nodig heb is een pyjama, geen maandverband.'

'Oké, oké. Wat jij zegt. Zit er een in je koffer?'

'Natuurlijk. Een heel bijzonder exemplaar. Je zult versteld staan.'

'Perfect. Hier, hou de handdoek vast en kom niet van je plek. Ik zal hem ophalen.'

'Hij zit in zo'n taxfree tas.'

'...'

'Martina?'

'...'

'Martina!'

'Ik ben er al. Wat is er?'

'Wil je mijn rug krabben?'

'Moment. Eens kijken ...'

'Hij jeukt.'

'Zeg, papa ...'

'Wat?'

'Wat is dit?'

'Wat dacht je? Een pyjama.'

'Hoezo een pyjama?'

'Geef maar.'

'...'

'Wat zit je te kijken, als ik vragen mag?'

'Naar jou.'

'Waarom? Had je niet genoeg aan het nummertje onder de douche?'

'Dat is geen pyjama, papa. Het is het shirt van een voetbalclub.'

'Nee, meisje. Niet van zomaar een voetbalclub. Van Barcelona.'

'…'

'Kijk. Wat staat hier?'

'Laat eens zien? Kai-man.'

'Helemaal geen Kai-man! Koeman! Er staat Koeman!'

'Aha.'

'Dit zijn het shirt en de broek die Koeman droeg op de avond dat we de Champions League wonnen in Wembley!'

'Ze zijn … afschuwelijk.'

'Nee, jij bent afschuwelijk. Geef me het broekje.'

'Wat hebben ze toch gelijk wanneer ze zeggen dat oude mensen hun waardigheid verliezen.'

'Het trainingspak heb ik ook, maar dat is voor overdag.'

'Je kunt het eens dragen bij een gala.'

'Ja, met luiers om mijn armen.'

'…'

'Zeg …'

'Wat?'

'Weet je?'

'…'

'Ik zie je graag lachen.'

'Grapjas.'

'Je moet meer lachen, meisje.'

'…'

'En je minder verontschuldigen.'

'…'

'Niets. Je voor niets verontschuldigen.'

'Ja, genoeg. Ik ga je bed opmaken terwijl jij je … voetbalshirt aantrekt. Droog je verder zelf maar af, kom op.'

Martina zit op het bed. Door het openstaande raam stroomt de geur van nat gras naar binnen. Ik hou van die geur. Als ik dichterbij kom, kijkt ze op en lacht naar me.

Ze ziet er uitgeput uit. En weinig waakzaam.

'Je bent beeldschoon,' zegt ze vertederd.

'Nee, meisje. Ik ben stokoud.'

'Dat ook.'

'Ja, en jij ook.'

Ze lacht uit volle borst en ik stap in bed. Ze gaat staan en schudt de kussens achter mijn hoofd op. Ze is een goede verpleegster, zeker.

'Heb je ergens last van?'

Nee. De pijn is verdwenen. De koorts nog niet helemaal.

'Nee.'

Ze bukt zich om me een kus te geven.

'Ga je al weg?'

'Ik ben moe.'

Martina is moe, maar niet van deze avond met mij. Mijn kleintje loopt zich al jaren het vuur uit de sloffen. Ze doet een paar stappen naar de deur.

'Wil je me niet een beetje gezelschap houden?'

Ze draait zich om.

'Wil je dat?'

'Ja.'

Ze komt terug en gaat op de rand van het bed zitten. Dan legt ze een hand op mijn knieën en blijft naar het bed staren. Het is inmiddels laat geworden en er hangt een intense stilte.

'M'n kind.'

Ze kijkt niet op.

'Wat?'

'Bedankt.'

Nu wel. Ze heeft glazige ogen. Van vermoeidheid. Ze glimlacht. Ze denkt na, maar krijgt haar gedachten niet op een rijtje. Het is een zware dag voor haar geweest. Het waren zware jaren.

'Het was geen makkelijke dag, hè, kleintje?'

Ze balt een vuist.

'Nee.'

Ik steek een hand uit en leg mijn vingers op de hare. Ze verzet zich niet.

'Vanaf nu zal alles anders zijn.'

Ze kijkt naar het open raam en laat een kleine zucht horen, die me bijna ontgaat.

'Ja.'

Zo zie ik haar niet graag. Zo down. Ik moet haar opbeuren.

'Wat ga je doen?'

Er gaat een schok door haar hand, heel lichtjes. Vanzelf.

'Nu?' vraagt ze.

'Nee, niet nu. Vanaf nu.'

Met haar vrije hand wrijft ze over haar been.

'Ik weet het niet.'

'Heb je iets in gedachten?'

'Ik loop al een hele tijd met iets rond.'

Ik zeg niets. Ze komt overeind. Ze praat verder.

'Vanaf het moment dat mama achteruitging en ik wist dat dit moment zou komen. Al waren het maar ideeën. Mogelijkheden, zoiets.'

Ik prop de kussens achter mijn rug en voel een lichte steek in mijn zij, maar het is slechts een reactie op wat er al niet meer is.

'Je zou de keramiek weer kunnen oppakken.'

Ze glimlacht, maar zegt niets.

'Daar ben je erg goed in.'

Haar glimlach verdwijnt.

'Was.'

'Dat verleer je niet. De kunst verleer je niet.'

'Ik heb geen handen meer voor de klei, papa. Ze hebben te lang luiers verschoond.'

'Onzin.'

'Ik heb er geen zin meer in.'

'Dat komt wel weer, wacht maar af. Nu ben je moe.'

'Ik ben inderdaad moe, ja.'

Ze stort weer in. Mijn meisje verzuipt en ik moet een vangnet uitwerpen.

'Je zou een boek kunnen schrijven over geluk. Zo'n zelfhulpboek vol goede voornemens. Ik kan je daarbij helpen.'

Een mat lachje. Ze ziet het net naast zich en waardeert het.

'Of je kunt het huis verkopen en 'm smeren naar Las Vegas. En met een of andere debiel trouwen in een jurkje van Betty Boop.'

Ze kijkt me verwonderd aan.

'Het huis verkopen?'

'Ja.'

'Het huis is van jou, papa.'

'Wat zou dat nou.'

'Wil je het verkopen?'

'Nee. Ik wil weten wat jij gaat doen. En wat ik kan doen om jou te helpen.'

'Het is te laat, papa.'

Daar komt ze. Martina.

'Waarvoor is het te laat?'

'Voor een heleboel dingen. Voor nagenoeg alles.'

Het net drijft bij haar handen, raakt haar bijna. Ze laat haar hoofd zakken.

'Te laat om nog een leven voor me te verzinnen.'

'Nee, straks blijkt nog dat je moeder gelijk had.'

Ze verstijft opnieuw. Het vangnet drijft af.

'Mama? Waarin?'

'Dat je had moeten trouwen met die vriend van je, die militair. Uit Madrid. Hoe heette hij ook alweer?'

'Martín.'

'Natuurlijk. Martín. Martín en Martina. Hoe kon ik dat vergeten.'

Ze zwijgt. Ze is in elkaar gezakt.

'Dan was je nu een gepensioneerde Madrileense, met parels, een appartement in de wijk Salamanca en Castilliaanse meubels. En een stel kinderen met een carrière. Jakkes.'

Ik hoor haar niet lachen, maar ik voel dat ze zich ontspant.

'Weet je waarom ik niet met hem ben getrouwd?'

'Omdat hij met zijn uniform aan sliep?'

Ze glimlacht.

'Nee.'

'Nou?'

'De waarheid?'

'Daar ben ik gek op.'

'Hij kwam me eens afhalen van het hotel in Madrid waar ik logeerde om me mee uit te nemen, en zei toen iets wat alles veranderde.'

'O, ja?'

'Ik had een jurk aan van groene zijde met een decolleté van heb ik jou daar. Hij wachtte op me in de hal. Toen hij me zag, vielen zijn tanden zowat uit zijn mond, de arme jongen.'

'Ja, dat kan ik me voorstellen.'

'Kortom, hij gaf me twee zoenen, de gentleman, hield de deur voor me open en toen we de trap af liepen naar de taxi, bleef hij staan, pakte me bij mijn schouders en zei in mijn oor: "Je bent luister..."'

Ze stokt en moet lachen.

'"Luister"?'

'Hij zei: "Je bent luisterrijk."'

Ze lacht. We lachen allebei. Ze gooit ballast overboord, in mijn hand, met een gulle lach. Ik begeleid haar, we maken samen lol zoals zo vaak in het verleden. We lachen opgelucht, en groeien naar elkaar toe in deze frisse nacht. Zoveel tijd zonder haar.

'Ik heb hem daarna niet meer gezien.'

Weer lachen. Minder luid ditmaal. Richting het doel dat ik voor haar in gedachten heb. Ik wil haar bij me hebben.

'Dat was een verstandige beslissing.'

'Dat denk ik ook.'

'Beter alleen dan luisterrijk.'

Ze glimlacht en laat haar ogen door de donkere studio dwalen. Ze heeft nog altijd de blik van het meisje dat hier rustig speelde terwijl ik achter de piano oefende. Alleen wij tweeën. Wij tweeën en de muziek.

'Maar, zo erg?'

Ai. Daar komt het.

'"Zo erg?"'

'Zo alleen. Iedereen in deze familie is zo alleen.'

Het is geen verwijt. Het is een vraag die ons omschrijft en die al jaren tussen ons in hangt. Sinds het ongeluk. Ze heeft gelijk. Martina heeft gelijk, maar dit is niet het moment om haar gelijk te geven.

'Ik wil je iets vragen.'

Dat is geen glimlach. Het is het geduldige gezicht van een vrouw die het gewend is dat ze haar dingen vragen, om zich op te offeren voor anderen.

'Toe maar.'

'Maar ik wil dat je erover nadenkt voordat je nee zegt.'

'Oké.'

Ik hanteer het vangnet behoedzaam, al zijn mijn handen oud en mijn vingers stram. De stroming beroert het water en trekt aan me.

'Kom met mij mee naar Buenos Aires, Tina.'

Ze kijkt me verbouwereerd aan.

'Naar Buenos Aires?'

'Zou dat niet wat zijn?'

De golven tillen ons op en laten ons vallen in een werveling van zout en turbulentie. Martina slikt. Ze komt bijna niet uit haar woorden.

'Maar, papa …'

'Wat.'

'Dat is wel duizend uur vliegen.'

'Vijftien.'

'Al was het een halfuur. Je weet best dat ik het niet kan. Dat ik het niet … zou kunnen,' voegt ze er met een dun stemmetje angstig aan toe. 'Nee, nee … ik zou het niet kunnen.'

'Er bestaan therapieën voor, van die cursussen waarin ze je genezen van je vliegangst.'

Ze brengt een hand naar haar keel, alsof ze de zuurstof mist die in overvloed in de kamer aanwezig is.

'En bovendien kan ik niet weg.'

'Waarom niet?'

'Omdat de kinderen er zijn. Het huis.'

'Welke kinderen?'

'Lucas en Verónica.'

'Lucas en Verónica hebben hun eigen leven, Tina. En zij hebben geen vliegangst.'

'Maar hier zijn we dicht bij elkaar, en dit is hun huis, en … ze weten dat ik er altijd ben … en … wat moet ik doen, zo ver van alles?'

Zo ver van alles. Haar angst trekt haar aan land, en laat haar stranden op een stuk vaste grond waar ze kan staan. Ik vraag niet wat dat alles is waar ze geen afscheid van kan nemen, want als ik dat doe, confronteer ik haar met het niets, en dan ben ik haar kwijt. Ik word overmand door zo'n groot verdriet, zo'n diepe smart om mijn kleintje, dat de jaren op me drukken als een modderstroom die me helemaal besmeurt. Ik ben enorm slecht voor haar geweest en ik wil het op een belabberde manier goedmaken. Ik ben een oude gek, en het treurige is dat er tegen ouderdom en gekte geen medicijnen bestaan.

Martina praat nog steeds, zenuwachtig. Ze is in verlegenheid gebracht en komt er niet uit, want ze durft me geen pijn te doen.

'En jij hebt ook je eigen leven, papa. Je gaat maar door. Altijd van hot naar haar, altijd bezet. Wat moet ik dan doen als ik bij je woon?'

Ik moet de trossen losgooien, maar dat is lastig.

'Je eens in de watten laten leggen, voor de verandering.'

Ze kijkt naar de grond.

'Zeg dat nou niet.'

'En mij wassen als ik de lakens besmeur. En je luisterrijk kleden en je vader mee uit eten nemen. En je snor afscheren.'

Ze pakt mijn hand en knijpt erin.

'En mij enkele jaren van dichtbij meemaken. Mij horen repeteren. En pyjama's voor me kopen. En deze oude, onuitstaanbare zeurkous verdragen die jou zo mist.'

Ze knijpt en knijpt. Ik kan haar ogen niet zien.

'En mij tijd gunnen om je te compenseren voor alles wat ik je heb afgenomen.'

Ik zie niets. Er zit water en zout in mijn ogen. Ook in mijn stem.

'En lachen. Met mij. Met zijn tweeën.'

Ik sluit mijn ogen. De teerling is geworpen. Alles of niets. Een koele windvlaag streelt mijn gezicht. Martina's hand zit nog in de mijne, tot een vuist gebald als een schelp in het zand.

Zo wil ik graag in slaap vallen. Wij drieën: de wind, haar hand en mijn droom.

Ik wist dat hij zou komen. Dat wist ik vanaf het begin. Die van Lucas is een bijzondere vraag, omdat hij andere vragen oproept, al weet hij dat niet, en omdat het een eenvoudige vraag is zoals kinderen die stellen. Kinderen gaan op hun zintuigen af en Lucas zag dat de maten niet klopten. Papa was een lange man, nog langer dan Lucas, langer dan opa. Als opa niet in het graf past, dan papa ook niet. Zo simpel is het.

Dus?

Dus.

Op de dag dat we papa en mama begroeven was er geen tijd voor vragen, omdat het stil was. Het verdriet daalde op ons neer als zure regen. Het huis was afgeladen met mensen: fotografen, cameramensen, journalisten. Mensen en kabaal. Tante Martina had de zorg voor ons op zich genomen en sleepte ons overal mee naartoe als een stel poppen die ze over de schouders en hoofden aaide. Tante Martina had koude handen. En ze staarde voor zich uit.

De begraafplaats puilde uit. Onze tante beschermde ons met haar armen, ze baande zich duwend en bevelend een weg. Opa en oma begroetten haar, oma met een zwarte hoed, erg stijlvol, en opa stokstijf, zijn huid doorzichtig, zijn stem gebroken.

We zagen niets. Dat stonden ze niet toe. De kinderen waren nog te jong, te niets, arme kinderen, wat jammer. Dat hoorden we overal; dat en het klakken van tongen uit medeleven, handen op onze schouders, een kus, vrouwen in het zwart met zonnebrillen en bontjassen, bij wie de tragedie in het gezicht was gegroefd. Zodra we de begraafplaats op liepen, baande oma's stem zich een weg door de zonnebrillen en hoeden tot aan de holle ogen van tante Martina als de kiel van een destroyer.

'Breng ze weg, Tina. Nu.'

Nu. Lucas zag het allemaal aan zoals hij papa's films bekijkt in oma's woonkamer. Hij aan de ene kant, de rest ertegenover. Op de achtergrond, tussen de bontmantels, het open graf met mijn grootouders ervoor, zonder elkaar aan te raken, zonder elkaar aan te kijken. En bloemen, overal bloemen.

Meer konden we niet zien. De afscheidsomhelzing van tante Martina haalde ons daarvandaan en we liepen terug naar huis. Alleen wij drieën. In stilte. We gingen naar een kamer met een erker en tante Martina kwam bij ons zitten, ik neem aan tot het verdriet voorbij was. Tot er iets anders gebeurde dan wat zich nu afspeelde. Lucas aaide haar gezicht en zij kon geen woord uitbrengen. Ze brachten ons broodjes, die we niet aanraakten, en enkele uren later wemelde het in de tuin van bekende en onbekende gezichten tussen de met zwarte rouwbanden beklede dienbladen. Opa en oma serveerden de aanwezigen een drankje. Noch zij noch wij waren uitgenodigd. Geen enkele Hoffman te bespeuren. Lucas ging in de vensterbank zitten en sloeg het tafereel beneden gade alsof hij in de loge van een theater zat, afgezonderd achter glas. Hij ging gebukt onder de vele vragen.

De familie verschanste zich achter de gordijnen van het grote huis om te rouwen, ieder met zijn eigen verdriet. De familie bestond uit vijf personen: drie volwassenen en twee kinderen. Niemand meer.

Nog diezelfde avond bracht oma's chauffeur ons naar het vliegveld. We gingen naar Londen. Ver weg. Het land uit. Naar een internaat, voor de duur van het schooljaar.

De kinderen hebben tijd nodig. Afstand. Laten we ze hier weghalen. Het is beter dat ze het niet weten. Dat ze niets zien of horen. Opa kwam afscheid van ons nemen en wilde ons troosten met een 'dit is het beste', wat zowel Lucas als ik niet begreep. Daarna het vliegveld en tante Martina die ons overdroeg aan een stewardess, die al op de hoogte was, getraind om te zwijgen. Ágata heette ze. Ze had de handen van een oude vrouw en een blond knotje. Het was een trage vlucht, in het holst van de nacht. Een sprong in de tijd en in de ruimte. Toen we bij de school arriveerden, werden we bedolven onder de dagelijkse discipline, waar Lucas zich gelaten aan over-gaf. Ik scherpte mijn dertien jaren aan het leven en ont-fermde me over Lucas als een schaduw, sterk voor hem. Maar 's nachts had ik een zere keel, aangetast door het opkroppen van mijn tranen. Lucas liet toe dat ik hem beschermde en ging gewoon door. Ik werd volwassen. Volwassen met hem, dóór hem. Niet lang na onze komst naar Londen werden er op school balletlessen gegeven en besloot hij te gaan dansen.

Hij was acht. Het duurde enkele jaren voordat hij niet meer in de tegenwoordige tijd over papa en mama sprak.

Tot zo ver wat er gebeurde. De feiten. Tot zover wat ik zag, wat Lucas en ik gedurende die uren waren en wat we sindsdien zouden zijn: deel van een familie die nog vast-zit in het verdriet. De vastgelopen Hoffmans. Per onge-luk geherstructureerd.

Wanneer ik terugdenk aan de dag van de begrafenis, lukt het me niet om mezelf te zien, me in te voelen in de Verónica die ik toen was. Dan twijfel ik of het voor ieder-een zo was als voor mij.

Papa is er niet meer, zei ik tegen mezelf, terwijl tante Martina de tijd aangaf met haar stille zuchten. Nee, papa was er niet meer en er was niemand om zijn plaats in te nemen. Er was leegte, en verdriet. En in de vensterbank de magere rug van een kind, mijn broer, dat zich niet bewoog, omdat het niet durfde te ademen. Lucas kan het zich nu niet meer herinneren en dat zal in de toekomst wel zo blijven, maar die dag had hij maar één vraag, eentje maar, waarmee hij telkens weer zijn stem liet horen. 'En mama?' vroeg hij vanaf het raam aan tante Martina. En mama? En mama? En mama? ... Tante Martina rilde en masseerde haar benen terwijl Lucas' ogen van haar naar het raam gingen en weer terug. En toen de vraag tegen het raam botste en op mij viel, beet ik op mijn tong om niet tegen hem uit te vallen met mijn waarheid. De mijne, ja, de enige die ertoe deed: wat stelt mama nu nog voor, Lucas? Wat maakt het allemaal uit nu papa er niet meer is? Wat maakt het uit?

Het was een lange tijd met zijn drieën. We zaten te wachten op nieuws. Ik over papa en Lucas over mama. We werden verdeeld door een liefde die ons had gedwongen te kiezen. Beneden, in de tuin, leefden vrienden, fans en journalisten met ons mee. Weesjes, zeiden ze aan de andere kant van het raam. En hun blikken klommen bij de toren omhoog naar het venster om ons leed te verzachten.

Maar het was geen leed. De pijn kwam pas veel later, en we moesten ermee leren leven. Nee, er was geen leed in die kamer die dag, en ook niet in de uren die volgden. Het waren twee verschillende wegen, de mijne en die van mijn broertje. Onze eerste scheiding. Hij drukte zijn afgebeten nagels in de palm van mijn hand toen we naar oma's auto liepen en hij drukte zijn vingertoppen stevig, heel stevig, in mijn huid. Lucas besloot niet te geloven. En hij koos het verstand. Begrijpen. Verwerken. Wat niet is gezien is niet gebeurd en wat niet is gebeurd doet geen pijn. Daarvoor koos hij. En weg was hij, terwijl ik wegzakte in schuld omdat ik enkel om papa rouwde, een slechte grote zus was … verpest in mijn emoties.

Verdriet. Zoveel …

En nu wil hij het weten en ik weet niet waarom hij dat wil en waarom per se nu. Het valt niet mee om de codes te ontcijferen die Lucas' brein regelen. Soms lijkt het alsof er een puzzel in zit, met een vreemd luchtje op de plaats van de ontbrekende stukjes. Dus blijft hij staan om het te vragen. Hij wil antwoorden. Hij mist stukjes.

'Hoe paste papa erin?' vraagt hij terwijl hij naast me wandelt en de bries die van zee komt droger aanvoelt. Ondanks de duisternis bruist de nacht van het leven en trekken er geuren aan onze neus voorbij. Lucas loopt zonder zijn voeten neer te zetten, alsof hij altijd aansluit op het terrein dat hij betreedt. Hij wacht op antwoord. En op de waarheid.

Ik vraag me af of zijn theorie, die van de hunkering naar de waarheid, want alleen de waarheid doet geen pijn, overeind blijft na vannacht.

'Het paste omdat hij niet in één stuk aankwam,' zeg ik.

Hij kijkt me niet aan en we lopen door. Misschien heeft hij me niet verstaan, denk ik eerst, maar ik wil het niet herhalen. Het is geen prettige zin.

Ik hoef het ook niet te herhalen.

'Wat wil je daarmee zeggen?' vraagt hij.

Ineens spijt het me dat ik vannacht hier ben, en dit zeg, hiermee speel. Dat zou ik niet moeten doen. Het is niet goed. Dit is niet de manier.

'Je kunt beter iets anders vragen,' werp ik tegen.

'Waarom?'

'Omdat je hier niets mee opschiet.'

En omdat het me pijn doet. Dit gaat ons pijn doen, denk ik met gebalde vuisten.

'Dat hangt van het antwoord af.'

'Inderdaad.'

We zijn aangekomen bij de muziektent. We klimmen erop en lopen verstrooid door de enorme achthoekige ruimte, over de houten vloer en langs de bewerkte zuilen. Het ijzeren dak sluit de hemel buiten.

'Dus,' houdt hij vol.

Ik adem diep in voordat ik begin. Hij luistert met al zijn spieren naar mijn stilte.

'Het was geen fraai ongeluk, Lucas.'

Hij leunt tegen de balustrade en kijkt me aan. Ik meen in het donker zijn glimlach te ontwaren. Zijn glimlach en andere zaken.

'Welk ongeluk is dat wel?'

Hij heeft gelijk, maar dat komt omdat we op verschillende niveaus praten, die elkaar aanvullen en verschillen: hij zit op het lichamelijke niveau, dat van de statistieken en de algemeenheid. Waarbij het begrip 'ongeluk' en het begrip 'verkeer' in één zin staan. Ik heb het over wat alleen ons aangaat. Het private. De familie. Geheimen en leugens. Daar heb ik het over.

'Je begrijpt me niet.'

Hij kijkt verbaasd.

'Nee?'

'Nee.'

'Ik ben een en al oor.'

'Het was geen fraai ongeluk omdat het meer dan een botsing was.'

Geen krimp. Niets.

'Om precies te zijn, het was geen botsing.'

Nu zie ik zijn gezicht niet. Ik heb alleen een vermoeden van waar zijn ogen zich bevinden, die niet glanzen.

'Wat dan wel?'

'Ze schoten van de weg af. Blijkbaar was papa in slaap gevallen. Ze waren in de buurt van de grens gestopt om te eten. Het verhaal van de vrachtwagen klopt niet. Er was geen vrachtwagen.'

Nu knippert hij wel met zijn ogen. Hij leunt met zijn rug tegen een pilaar en laat zijn hoofd hangen.

'Ze reden van een helling af en vielen twintig meter naar beneden. De auto sloeg driemaal over de kop.'

'O.'

Dat is alles. Alleen een 'o' dat alles in de lucht laat hangen, tussen de vermolmde houten vangrail naast de greppel en de steile helling beneden. Daar hangen we de hele nacht. Die nacht ook. De stukjes. Lucas blijft puzzelstukjes verzamelen met de nieuwe informatie. Zijn hoofd is koortsachtig bezig met de puzzel. Van zijn hart weet ik het niet. Waar is je hart, Lucas? Waar is het? En waar laat je mij als je het niet bij je draagt?

Hij draait zich om en het zwakke schijnsel van de nacht bakent zijn silhouet af.

'Wat nog meer?'

Meer. Meer puzzelstukjes. Meer hout. Meer brandstof op een vuur dat geen haard is. Mijn stem dreigt het te begeven.

'Ze rolden de afgrond in.'

Hij beweegt zich niet.

'Wat nog meer?'

'Weet je het zeker?'

'Ja,' mompelt hij, en hij slaat een arm om de pilaar. Hij pakt een sigaret, kijkt me niet aan.

'Eenmaal beneden vloog de auto in brand.'

'O.'

Hij maakt aantekeningen. Lucas maakt aantekeningen alsof hij een nieuwe choreografie moet leren. Hij stelt zich de beweging voor, de cadans en het ritme. Hij stelt zich ook de draai voor: naar rechts, afwisselend op teen en hiel. Ik spreek en Lucas zet mijn berichten om in gebaren, in expressie.

'En?'

Ik word boos. Ik zie mezelf lijden in de spiegel die hij is. Dit was het spel niet. Nee, dit was het zeker niet. Woede. Ik ben woedend omdat ik hem niet kan bereiken en omdat ik al jarenlang zwijg en deze waarheid alléén heb gedragen.

'Het duurde uren voordat ze de lijkresten hadden verzameld. Er waren geen lichamen meer, alleen stukjes ervan. Die hebben ze over twee doodskisten verdeeld en die hebben ze thuisgebracht.'

Verder kan ik niet, want dit doet me geen goed.

'Daarom paste papa in de kist, Lucas. Er was ruimte in overvloed.'

Aan zijn profiel te zien trekt hij een vreemd gezicht. Hij krabt aan zijn kin.

'Ik begrijp het.'

En aan zijn 'ik begrijp het' lees ik af dat ik weer heb verloren, omdat mijn broer zijn verdriet niet met me wil delen.

'Bedankt. Ik moest het weten,' voegt hij er nog aan toe.

'Ik hoopte dat je het zou voelen, Lucas. Dat je het weet, kan me geen bal schelen. Begrijp je dat dan niet?'

'Natuurlijk begrijp ik je.'

'Maar het doet je dus niets.'

'Ik vind het erg als mensen lijden.'

'Het waren geen mensen, Lucas. Het waren papa en mama.'

'Dat weet ik wel.'

'Ja, je weet het, maar alleen met je hoofd. En dat is zo triest.'

'Waarom?'

'Omdat je nog altijd het hart van een jongetje van acht hebt. Het verstand van een geleerde, het lichaam van een atleet, maar het hart van een kind. En het staat niet vast dat de waarheid je geen pijn doet. Jij bent alleen zo bang voor de pijn, dat je het uit voorzorg alleen maar wilt begrijpen, wilt ontrafelen.'

Hij brengt de sigaret naar zijn mond en even meen ik te zien dat zijn hand trilt. Dan veegt hij een lok van zijn voorhoofd en wendt zich van me af.

'Ik heb weer verloren. Niet alleen dit klotespel, maar ook mijn verwachtingen van jou. En dat doet pijn.'

Hij blijft met zijn rug naar me toe staan, rokend in de duisternis van deze lentenacht. De oceaan sist beneden, misschien trekt hij zich terug.

'Het spijt me,' zegt hij.

Was dat maar waar, hoor ik mezelf denken terwijl de zee van het strand af rolt, en zand, kiezels en rotsen mee- neemt naar een onbekende bestemming.

We trekken ons terug. De zee en ik.

'Slaap lekker, Lucas.'

Hij blijft in de deuropening staan en leunt met zijn hoofd tegen de deurpost. Ik zie hem niet, want ik ben een boek aan het lezen, maar ik weet dat hij er staat, zoals ik ook wist dat hij zou komen. Ik kan hem bijna horen ademen.

'Slaap je nog altijd met de deur op een kier?'

Ik kijk op. Dat delen we sinds het ongeluk: 's nachts de deur openlaten. Heel lang, jarenlang, ging Lucas slapen in de hoop dat mama zou komen om hem in te stoppen. Hij huilde in zijn slaap. Misschien doet hij dat nog wel.

'Jij ook?'

Hij glimlacht.

'Natuurlijk.'

Natuurlijk. Vanaf hier, in dit licht, lijkt hij onwerkelijk. Hij is zo knap dat hij soms wel een breekbaar hologram lijkt. Ik leg het boek op het nachtkastje, leun tegen het hoofdeinde en nodig hem uit op het dekbed te komen zitten. Maar hij blijft liever in de deuropening staan en laat zijn blik door de kamer gaan.

Lucas heeft tijd nodig en moet alles dichtdoen wat openstaat op zijn pad. Hij vat gesprekken op als kleine choreografieën, met hun begin, hun kern en hun ontknoping. Hij is bang dat als hij iets laat openstaan, er iets gebeurt wat alles in de war schopt en hij niet genoeg tijd heeft om een logisch, menselijk einde te vinden. Zoals gebeurde met papa en mama. Hij is bang voor het toeval.

Eindelijk laat hij zijn blik rusten op een stukje dekbed bij mijn voeten.

En eindelijk praat hij.

'Waarom heb je me dit nu pas verteld?'

Ik wist dat hij daarmee zou beginnen. Eerst het waarom.

'Ik wilde het je niet vertellen. Ik had het niet moeten doen. Sorry.'

Hij blijft naar het bed staren.

'Hoe lang weet jij dat al?'

Ik zou kunnen liegen en hij zou me geloven, maar dat gaat me niet goed af. Zwijgen wel. Liegen niet. Dat weten we allebei.

'Al lang, heel lang.'

Nu kijkt hij me wel aan.

'Sinds wanneer?'

Door het raam komt een zilte lucht binnen, die de bladzijden van het opengeslagen boek omslaat.

'Sinds de dag van de begrafenis.'

Hij vraagt niet hoe. Dat hoeft ook niet.

'Hij had een Argentijns accent, of was het Chileens, dat weet ik niet meer. Tante Martina was op het kerkhof enkele vrienden van mama gaan begroeten en ik was blijven staan bij het hek. Naast me deed een kerel voor de radio verslag van de begrafenis en ik neem aan dat ze hem vanuit de studio om details vroegen. Een bloedbad. Eén grote bende. Hij had niet in de gaten dat ik meeluisterde.'

Hij haalt het pakje sigaretten uit zijn broekzak, pakt er een sigaret uit en steekt hem in zijn mond, zonder hem aan te steken.

'En al die tijd …?' begint hij. Op slag zwijgt hij en kijkt hij naar mij. 'En de anderen weten dat jij het weet?'

'Ja.'

'En ik, waarom ik niet?'

'Je was pas acht, Lucas.'

Hij slikt en knippert met zijn ogen. Ik ook.

'Het is nu tweeëntwintig jaar geleden,' zegt hij met een frons.

'We besloten te wachten tot er tijd overheen was gegaan. Door al het wachten is de tijd ons door de vingers geglipt.'

'"We besloten"?'

'Opa en oma, tante Martina … ik.'

Hij kijkt me aan met ogen die zo vochtig zijn dat ze wel transparant lijken. Dan haalt hij de sigaret uit zijn mond en stopt hem terug in het pakje, terwijl hij zich losmaakt van de deur en langzaam naar het bed loopt.

Het boek naast me begint weer te ritselen.

'Dus ...' begint hij. Hij komt naast me zitten, ook tegen het hoofdeinde. 'Al die jaren ...'

Ik probeer te slikken, maar dat lukt maar half. Mijn keel zit dicht terwijl ik Lucas' brein hoor werken. Hij ordent de informatie, de tijd en de verbazing. En mijn hart, ik hoor mijn hart, en ik merk hoe Lucas een arm om me heen slaat en me tegen zich aan trekt, tot ik tegen zijn hals aan lig en hij met zijn kin in mijn haar zit.

'Je had het niet alleen moeten dragen, meisje,' zegt hij boven me.

Ik slik niet. Ik vlij me tegen hem aan en grijp hem stevig vast. Het is verbazing. Zijn opgeruimde geest is verbaasd nu hij plotseling gebeurtenissen en data met mijn naam verbindt, en nu hij inziet wat ik de afgelopen tweeëntwintig jaar meezeulde. Lucas denkt aan mij. Hij kijkt me aan en verplaatst zich in mij, waarbij hij zichzelf ontziet. Zo is Lucas, en ik had het kunnen weten. Zo houdt deze jongen die geen jongen meer is van mij. Blijkbaar ben ik het niet meer gewend dat ze van me houden omdat ik me altijd volwassen gedraag.

Hij omhelst me en ik hem. En ik maak zijn shirt nat met mijn gesloten ogen, want bij Lucas voel ik me veilig. Alleen bij hem.

'Deed het erg zeer?' vraagt hij zacht.

Ik kan geen woord uitbrengen. Ik knik van ja, opge-kruld onder zijn kin, terwijl ik hem hoor slikken en zijn hand op mijn rug voel. Een aai, daarna nog een. Er komen er nog meer, zeker weten.

'Nog altijd?'

Ja, Lucas. Nog altijd. Zoveel, dat ik soms wenste dat ik geen hart had.

Dat is het laatste wat ik bedenk voordat ik de eerste snik hoor en mijn open mond tegen zijn shirt aan druk.

III

Open zee

Dit is de zon die ik me herinnerde. Ook overdag komt het huis me bekend voor, met zijn lichtgeverfde muren, zijn houten vloeren en zijn hoge smeedijzeren balustrades. De indiaan mocht dan een mafkees zijn, aan zijn smaak mankeerde niets, en aan die van Constanza evenmin. Er hangen zoveel spullen van mij in deze gang, dat ik me in een museum waan dat gewijd is aan mij. Als ze in de toekomst door de tijd kunnen reizen en hun jeugd gaan bezoeken, is dit waarschijnlijk de sensatie die mensen dan krijgen. Bizar, heel bizar.

Ik hou van de geur van dit oude huis en de fijne dauwdruppels die de morgenwind aanvoert. En van het geroezemoes in de serre, van het gerinkel van het bestek en van de gedempte stemmen van Lucas en Verónica, die steeds helderder worden, en hun boodschappen steeds duidelijker. Vanaf hier, zonder hen te zien, valt het niet mee te raden wie wie is. Dat hoor je niet aan het stemgeluid en ook niet aan de toon, wel aan de intentie. Hoewel Lucas en Verónica verschillend denken, spreken ze hetzelfde, ze drukken zich op dezelfde manier uit. Ze lijken wel twee delen van één geheel, waarin nu eens de een, dan de ander overheerst. Zijn antwoorden zijn het product van haar denkprocessen, vanuit verschillende standpunten, dat wel, maar in hetzelfde ritme.

'Goedemorgen, opa,' groet Verónica met een mok in haar hand. Ze zit tegenover haar broer aan de grote eikenhouten tafel. Aan het hoofd is nog een plaatsje vrij en het licht stroomt overvloedig door de grote ramen naar binnen. Lucas lacht naar me.

'Heb je goed geslapen?'

Ik loop naar het hoofdeinde en neem plaats.

'Als een baby,' lieg ik, en ik trek mijn badjas recht. 'En Martina?'

'In de keuken. Ze maakt het fruit klaar.'

'Geweldig.'

Verónica zet de mok op haar bord en veegt haar mond af aan een servet. Ze schuift haar stoel achteruit en zet haar handen op tafel, klaar om op te staan. Zo te zien wachtte ze op mijn verschijning om van tafel te gaan. Nauwelijks een lachje sinds mijn komst. Ze blijft me straffen. Ze vergeeft niet.

'Gaat dat van het strand nog door?' vraag ik haar terwijl ik een servet in de kraag van mijn shirt stop en net doe alsof ik niet in de gaten heb dat ze mij niet in de buurt wil hebben.

'Ja,' antwoordt Lucas. Hij heeft een afgetrokken gezicht. Hij heeft zeker slecht geslapen.

'Perfect. Met een beetje geluk kunnen we zelfs een duikje nemen.'

Verónica blijft gespannen zitten, op het puntje van haar stoel.

'"Een duikje"?'

'Waarom niet?'

Ze zucht, zoals altijd wanneer iemand haar verplicht een verklaring te geven die volgens haar onnodig is.

'Rond deze tijd van het jaar is het water ijskoud, opa. Dat moet je toch weten.' Haar laatste opmerking klinkt gemeen. Hij klinkt naar 'Als je hier de laatste jaren was geweest, zou je dat niet zijn vergeten' en ook naar 'Dat gebeurt er als iemand verzaakt, als hij faalt'. Haar boodschap landt, want haar blikken en gebaren peperen het me continu in tijdens onze ontmoetingen: in elk telefoongesprek, in haar brieven en tijdens haar bezoekjes aan de kliniek. Sinds mijn vertrek praat Verónica tegen me als een kind dat zich ergert, met woede, en al doet ze het al zo lang dat ik niet anders meer weet, toch blijft het pijn doen, want ik hoop dat ze ooit verandert.

'Je hebt gelijk,' geef ik toe. 'Ik had het kunnen weten.'

Ze klemt haar handen om de rand van de tafel. Het bevalt haar niet. Het staat haar niet aan dat ik de gedweeë opa speel, omdat ik dan oud en zwak overkom, en op zo iemand kan ze moeilijk kwaad zijn.

Soms is onze Verónica een beetje slecht. Maar zijn wij dat niet allemaal?

Er valt een ongemakkelijke stilte, die Lucas verbreekt door zijn zus om een geroosterde boterham te vragen. Verónica geeft hem die en ik maak van de gelegenheid gebruik om van onderwerp te veranderen en Lucas bij het gesprek te betrekken. Martina zal zo wel komen met mijn fruithapje.

'Martina vertelde dat je binnenkort een nieuwe choreografie opvoert.'

Lucas kijkt me aan en al het licht in de serre wordt gevangen in zijn grote groene ogen. Ik moet op slag slikken, want ze doen me aan die van Fernando denken. Mijn hartslag versnelt.

'Maandag al.'

'Je weet niet van ophouden, hè?'

'Wat had je dan verwacht?' komt Verónica tussenbeide in een poging een bijdehante opmerking te plaatsen, die het tafelkleed bevlekt als een scheut koffie. Ze heeft het in de gaten en probeert het goed te maken met een strakke glimlach, waar Lucas verbaasd op reageert. 'Hij is tenslotte een kleinkind van zijn grootvader.'

'Jullie zijn allebei kleinkinderen van jullie grootvader, kleintje,' zeg ik.

De lach verdwijnt van haar gezicht alsof ze een parasol heeft dichtgeklapt en ze schenkt zich nog wat koffie in.

'Ja. In goede en slechte opzichten.'

Ik zeg niets. Lucas evenmin.

'Het is een familietrekje,' zegt ze gelaten. 'Dat we niet kunnen kiezen.'

Lucas neemt een hap van zijn geroosterde brood en Verónica wil een slok van haar koffie nemen.

'En dat we zo nu en dan boeten voor onze fouten.'

Ze trekt aan het touw. Verónica trekt en ik moet oppassen dat ze mij niet meesleurt. Dat valt niet altijd mee. Ik besluit nogmaals van onderwerp te veranderen.

'En, zeg eens, kleintje, hoe gaat het met Hans?'

Ze blijft haar mok voor zich houden en kijkt me ongeïnteresseerd aan.

'Goed. Hoezo?'

Ze blijft trekken. Het koord dat ons hoort te verbinden staat te strak. Het zit vol knopen.

'Ik wil weleens kennismaken.'

Ze glimlacht flauwtjes.

'Ik denk niet dat je hem leuk vindt.'

'Zeg dat nou niet.'

'Het is zo.'

'Waarom denk je dat?'

Ze fronst en lijkt over haar antwoord na te denken.

'Omdat hij een goed mens is.'

Tot haar verbazing schater ik het uit. Soms zegt Verónica dingen die ik zelf zou kunnen zeggen, of die ik mezelf heb horen zeggen in vergelijkbare omstandigheden. Ik hou van mijn kleindochter, ook al vindt ze dat niet leuk. Even laat ze het touw los, en daarvoor ben ik haar dankbaar.

'Daar twijfel ik niet aan.'

'O, nee?' reageert ze fel. 'Waarom niet?'

'Omdat jij een goede man verdient, Verónica.'

Een knoop. Het touw raakt verstrikt in een knoop. Haar blik ook.

'Alle vrouwen verdienen een goede man, opa.'

Ai. We raken de grond.

'Dat zou je ook moeten weten,' gaat ze verder.

'Dat weet ik ook, kleintje. Dat weet ik.'

'Inderdaad. En oma wist het zeker.'

Aan de grond gelopen. We zijn aan de grond gelopen. Wij tweeën. Dit zijn ondiepe wateren en we varen hier al te lang met een te zware last doorheen. Constanza is in het gesprek gevallen als een trapezewerker tijdens een optreden. Maar er is een net.

'Er bestaan geen goede en slechte mannen, Verónica. Het is het leven dat ons zo maakt.'

Ze vonkt. Haar ogen sissen als twee kooltjes in het water.

'Schei toch uit, opa,' bijt ze me toe. 'Het leven maakt ons alleen maar gelukkig of ongelukkig. Goed en slecht kiest iedereen zelf uit.'

Deze wateren bevallen me niet. En Verónica's toon evenmin.

'Ik ben blij dat je er zo over denkt, kleintje.'

'O, ja? Waarom dan?'

'Omdat ik merk dat je ouder bent geworden. Volwassen.'

Ze buigt haar hoofd en staart naar het tafelkleed.

'Dat ben ik al jaren, opa, wist je dat soms niet.'

Dat weet ik maar al te goed. De exacte datum. Ik weet zelfs het uur waarop Lucas en zij ophielden kind te zijn en struikelden over het einde van hun jeugd. Ik herinner me hoe de nacht rook. De warmte van Verónica en Lucas tegen mijn benen, en ook hun stilte. De auto was zwart en de chauffeur heette Samuel. Nee, Rafael. Ik herinner me het nummerbord en Verónica's gezicht achter het raam, naast dat van Martina, terwijl de afstand een loopgraaf schiep van vragen zonder antwoord, die we niet konden vullen. Ik heb van mijn leven meer nachten gekend mét die ogen dan zonder. Dit is het beste, was het laatste wat ik wist te zeggen. En sindsdien lees ik in de ogen van mijn kleintje dat wat haar betreft 'het beste' niet voor hen gold, dat het beste alles is wat ik niet ben.

Het valt niet mee om zo te leven, maar ik heb er zelf voor gekozen. Ik koos ervoor een waarheid te verzwijgen omdat ik meende dat het beter was dat iedereen minder leed. Ook al hield ik informatie achter, hiaten die ik moet opvullen nu Constanza er niet meer is. Verónica valt me aan omdat ze niet kan vragen, dat weet ik best, en ik verdraag haar aanvallen omdat ik weet waar ze vandaan komen. Ze raken me niet. Wat me wel raakt, is de gedachte dat de tijd verstrijkt en zij zit vastgeroest in haar woede tegen mij, tegen mannen die ervoor kiezen niet goed te zijn, en ook tegen haarzelf, omdat ze zich niet heeft leren uiten.

Nee. Dat niet.

'Verónica …'

Ze kijkt me aan. In haar ogen zit een uitsparing voor mij. Dat weet zij niet, maar die zit er. Het licht uit de tuin weerkaatst in het bestek als ik vraag wat ik ook wil weten.

'Vind je mij echt geen goede man?'

Dan werpt het leven, het leven dat ons volgens mijn kleintje gelukkig of ongelukkig maakt en niet goed of slecht, de dobbelstenen over de ontbijttafel. De dobbelstenen rollen tussen de borden en mokken door naar de rand. En in de beladen stilte verbreekt een bekende stem vanuit de keuken ons spel, die ons moment verkwanselt met een NEE dat de dobbelstenen over de rand duwt en op de grond smijt.

'Nee!' schalt de nerveuze stem van Martina vanuit de keuken. We verroeren ons niet. Een meeuw vliegt voor de zon langs en tekent zijn enorme, beweeglijke schaduw op de ramen van de serre, en naast me buigt Lucas zijn hoofd om beter te kunnen horen. 'Nee, Marianne! Niet vandaag!'

Ik leg het servet op mijn bord en sta op. Verónica blijft afwezig naar de vloer staren, misschien zoekt ze de dobbelstenen waar ik behoedzaam langsloop. Ik open de deur van de gang en versnel mijn pas richting de keuken.

'Niet vandaag, Marianne. We hadden maandag afgesproken. Maan-dag.'

Vanaf de koelkast kijkt Marianne me aan met haar bekende glimlach die me niet bevalt. Ik probeer haar nu al meer dan een kwartier duidelijk te maken dat het vandaag zondag is en dat ik haar niet eerder dan maandagmiddag verwacht. Ze kijkt geschrokken en zet haar bril recht.

'Ja, maandag, iesj goed,' herhaalt ze voor de zoveelste keer.

'Maar vandaag is het zondag, niet maandag.'

'Iesj goed. Zondag.'

Mijn god.

Ik ga aan de keukentafel zitten en verzamel alle kalmte die me nog rest nadat ik haar de keuken binnen zag komen door de achterdeur alsof ze thuiskwam na het winkelen. Ze was beladen met spullen die ik niet nodig heb en niet gebruik en waarmee ze me achtervolgt sinds ze hier kwam werken: een gele vloeistof die naar kots ruikt en die volgens haar alles reinigt en waarvan zelfs Matilde niet weet waar ze het vandaan haalt, de stomme foldertjes die ze me onder de neus duwt en een verzameling kruiden die ze overal in strooit en die ik niet lust. Ik ben zo moe van het kibbelen met deze vrouw dat ik niet meer kan. Maar nu ik haar zo zie staan, op de marmeren keukenvloer, met haar gouden tanden en dikke brillenglazen, geef ik weer toe aan mijn medelijden en mijn angst voor haar driftbuien. Ik haal diep adem. Vandaag is geen dag voor Marianne en dit gaat niet gemakkelijk worden.

'Je kunt niet blijven, Marianne. Niet vandaag.'

'Ja, ja. Blaiven. Heel graag.'

'Nee. Ik heb je toch gezegd dat mijn neef en mijn nicht hier zijn. En mijn vader. En dat we alleen willen zijn.'

Ze veegt haar handen af aan haar vale rok, die tot op haar enkels hangt. Daaronder draagt ze kousen die af-zakken en daaronder een soort kruising tussen klompen en roze instappers. Ineens veert ze op.

'Vader? Meneer?'

'Ja, Marianne. De meneer.'

'Meneer duivelsje klootzak alsj mevrouw Consjtansja zegt?'

'Dezelfde.'

'Ugh,' zegt ze met een vies gezicht, en ze opent de be-stekla en pakt een mes. 'Iek hou niet van duivel.'

'Geen zorgen, morgen vertrekt hij weer.'

'Morgen, maandag, ja ja.'

'Ja, morgen is het maandag. Maar vandaag is het zon-dag en kun jij hier niet zijn. Je kunt beter teruggaan naar Matildes huis.'

Ze krijgt ogen zo groot als schoteltjes.

'Brr. Matilde iesj sjlechte vrouw. Iek niet mogen.'

'O, nee? Hoezo?'

'Zai niet goedvinden iek bel met main moeder. Main zieke moeder.'

'Ja, Marianne. Maar je moeder bellen is erg duur. Dat weet je toch.'

'Ja ja. Iek jou vragen kaart voor telefoon, maar jai ko-pen sjlechte kaart. Kaik, kaik.' Ze opent het linnen tasje dat ze kruislings over haar borst draagt en pakt er twee telefoonkaarten uit. Ze begint te lezen: 'Peru, Chili, Co-lombia … Sjlecht! Werkt niet! Jai sjlecht gekocht! Sjlecht, jai vindt mai niet leuk! Geen moeder met telefoonkaart!' roept ze, en ze wuift met de kaartjes in de lucht.

'Ik heb je al duizend keer uitgelegd dat die kaarten geschikt zijn voor alle landen, Marianne. Je hoeft alleen maar het nummer te bellen dat achterop staat en dan het telefoonnummer in te toetsen. Het is heel simpel.'

Ze is kwaad, en als ze kwaad is, valt het niet mee haar tot bedaren te brengen. Maar vandaag heb ik geen tijd en geen zin om haar voor de honderdste keer hetzelfde uit te leggen. Het valt haar toch niet aan het verstand te brengen. In de serre wacht papa op zijn ontbijt en ik moet opschieten als ik een onaangename ontmoeting wil vermijden. Te veel uitleg.

'Al goed, al goed. rustig maar.'

Ze blijft de kaartjes omhooghouden als een verkeers-agent met een bonnenboekje in zijn hand.

'Ik weet al wat we doen.'

Haar vierkante hoofd buigt opzij en botst bijna tegen een van de keukenkastjes.

'Ietsj goed doen?'

'Ja.'

'Vind iek leuk.'

'Je krijgt twintig euro van me om weer naar Matilde te gaan. Zodra jij bent vertrokken, bel ik haar om te vragen of ze samen met jou de telefoonkaart wil kopen die je wilt. En ik vraag haar ook of je een nachtje in het pen-sion mag slapen, zonder te werken.'

Ze staart me aan, maar zegt niets.

'Begrijp je me, Marianne?'

'Ja. Iek niet begraip.'

'Kijk, ik geef je twintig euro en jij neemt een dag va-kantie in het pension, met een telefoonkaart van twintig euro zodat jij je familie kunt bellen. Maar je mag niet terugkomen vóór maandag.'

'Ahhh. Vakantie?'

'Dat is het.'

'Chili, Colombia, Peru, niet?'

Ik moet me inhouden om niet de achterdeur te openen, de tuin in te rennen en pas te stoppen als ik bij de zee ben, om me daarin te verzuipen.

'Nee, Marianne. Vakantie in het pension. En de juiste kaart.'

'Goed, ja. Zeer goed. Iek leuk vinden.'

Ik pak mijn tas, die aan de rugleuning van een stoel hangt, haal mijn portefeuille eruit en overhandig haar een briefje van twintig.

'Alsjeblieft. Voor de telefoonkaart.'

Ze komt langzaam dichterbij en neemt het briefje in ontvangst. Dan lacht ze naar me, en verlicht alles met het licht dat weerkaatst op haar met goud beklede tanden.

'Ga nu maar. Ik zal Matilde bellen.'

Ze deinst achteruit met een kreet alsof ze de naam van de duivel hoort.

'Iek Matilde niet leuk vinden. Sjlecht, sjlecht. Marianne alles schoonmaken, nooit uitrusten.'

'Maak je geen zorgen. Ik zal met haar praten. Vandaag mag je uitrusten. Als een heuse mevrouw.'

Ze spitst haar oren.

'Mevrouw? Mevrouw Consjtansja dood ien pensjion?'

'Nee, Marianne. Mevrouw Constanza is al begraven. Jíj in het pension. Vakantie.'

'Ahhh. Iek begraip. Zondag iek rusjt. Maandag iek kom.'

Eindelijk.

'Zo is het. Heel goed.'

'En dinsjdag Chili, Colombia, Marianne werkt.'

'Ja, schat, dat ook. Chili, en Colombia … wanneer je maar wilt. Maar nu moet je gaan, oké?'

'Iek leuk vinden, ja.'

'En morgen moeten we eens met elkaar praten.'

'Ja ja. Maandag praten met goede kaart.'

Ze trekt de gele jas aan die ze al draagt sinds ze hier voor het eerst kwam en gaat door de achterdeur naar buiten. Als ze bij het grindpad komt dat om de schuur heen loopt en uitkomt op de weg naar het dorp, stopt ze plotseling en keert ze zich om.

'Iek kom niet terug vanavond om te eten met meneer duivel?'

Ik slik en adem diep in, maar slaak toch de kreet van ergernis die ik al dagen opkrop.

'Nee, Marianne! Niet vandaag!'

Ze reageert op mijn uitbarsting met een klein sprongetje. Daarna zet ze haar bril recht en verdwijnt ze tussen de bloembedden met hortensia's. Ze huppelt als een kabouter.

Dan sluit ik mijn ogen en zucht. Ik gun mezelf een paar seconden rust en stilte, op zoek naar een hoekje innerlijke vrede om in te herstellen voordat ik het kommetje fruit pak dat ik voor papa heb klaargemaakt en naar de serre ga. Ik wentel me in dit lentelicht als een kat, ondanks Marianne en wat ik voor me uit schuif om haar niet voor het hoofd te stoten. Een zucht. Nog een paar uur. En deze stille pauze in de keuken is de tijd die ik dagelijks aan mezelf besteed om er niet aan onderdoor te gaan. Die heb ik nodig.

'Zo, zo, twintig euro en een vrije dag. Een luizenbaantje.'

De stilte breekt als een dure vaas op de vloer en van schrik kan ik geen woord uitbrengen. Papa staat achter me in de deuropening, in zijn onberispelijke fluwelen badjas tegen de deurpost geleund, met een dubbelzinnige glimlach.

'Papa, wat doe jij hier?'

Een wenkbrauw gaat omhoog.

'Kijken. Naar jou. Naar jou kijken.'

'Ik wilde je juist je fruit brengen.' Hij zegt niets en blijft bij de deur staan. 'Hoe gaat het? Heb je goed geslapen?'

'Ik ben in topvorm,' zegt hij, en hij klopt zichzelf op zijn borst. 'En ook luis-ter-rijk.'

Ik sta op en loop naar de kom op het aanrecht. Ik pak hem en ga naar de deur.

'Ga je mee?'

Hij beweegt zich niet.

'Iesj goed,' antwoordt hij, met opengesperde ogen en een schuin hoofd, in een perfecte imitatie van wat hij zojuist heeft gezien. 'Iek niet houden van bruin fruit,' gaat hij verder, en hij wijst met zijn kin naar de kom. Hij heeft gelijk. De stukjes peer en appel zijn verkleurd. Ik ga terug naar het aanrecht en leeg de kom in de vuilnisbak, terwijl hij aan de keukentafel gaat zitten.

'Waarom heb je niet verteld dat Marianne de moeder is van de gremlins?'

Ik buig mijn hoofd en probeer niet te lachen, maar zodra ik me voorstel welke indruk Marianne op papa moet hebben gemaakt, met haar vale rok, afgezakte kousen en dat grote hoofd op het iele nekje, moet ik toch lachen. Ik hoop dat hij het niet hoort.

'Denk erom, papa.'

'Sorry, maar terwijl ik jullie bekeek, wist ik niet of ik de Roemeense niet van Olijfje of de vriendin van ET voor me had.'

'Ze is geen Roemeense, papa.'

'O, nee?'

'Nee.'

'Da's een hele geruststelling.'

'Ze is Marokkaanse.'

Hij knippert met zijn ogen en brengt zijn hand naar zijn keel terwijl ik een nieuwe appel in stukjes snij.

'Is ze gevaarlijk?'

Ai. Hoe moeilijk is het om deze man serieus te nemen als hij zo begint.

'Nee.'

'Zo kwam ze wel op me over.'

Ik hou wijselijk mijn mond en blijf snijden. Achter mijn rug bladert hij door enkele foldertjes die Marianne op de tafel heeft achtergelaten. Papa bekijkt ze aandachtig.

'En wat is dit?'

Ik draai me om. Ik herken de folders.

'Die zijn van Marianne.'

'Het Koninkrijk Gods?' vraagt hij. Het staat op een van de pamfletten. Nu begin ik aan de conference peer.

'Ze is Jehova's getuige.'

'De Moorse vriendin van ET is een Jehova's getuige?'

'Ze heet Marianne, papa, alsjeblieft.'

'Ze heet Malle Babbe, meisje.'

Nu een Canarische banaan. Papa houdt niet van bananen.

'Ik vraag me af waar ze al het goud vandaan heeft dat ze in haar mond heeft.'

De banaan is ook klaar. Nu nog grapefruitsap en een flinke lepel biergist. Of niet. Liever bijenpollen.

'En ik vraag me ook af wat hier aan de hand is, met jou. Vind je het normaal dat je een werkster betaalt om een dag niét te komen? Kindje toch, in welke wereld leef jij eigenlijk?'

Klaar. Ik spoel de fruitpers af onder de kraan en zet hem op het afdruiprek. Dan pak ik een schone lepel uit de la en kijk hem aan.

'Er is niets aan de hand, papa. Ik wilde haar alleen niet over de vloer hebben vandaag, en dat valt haar lastig uit te leggen.'

'En je hebt medelijden met haar.'

Ik ga naast hem zitten. Hij steekt de lepel in de kom en brengt hem naar zijn mond.

'Door al je medelijden ben je te toegeeflijk geworden, en nu heb je haar niet meer in de hand en weet je niet meer hoe je van haar afkomt.'

'Hè, papa, hou erover op.'

'Je moet niet toestaan dat ze tegen je praten zoals ik die troela heb zien doen. Je had haar de laan uit moeten sturen.'

Troela. Die bijnaam zat eraan te komen, vanzelfsprekend. En een excuus dat helaas uit mijn mond komt.

'Daarmee wilde ik wachten tot deze dagen voorbij waren. Tot alles wat is gekalmeerd.'

'Liegbeest.'

'Ze kan nergens heen, papa. Dat is de waarheid. Ze heeft een zieke moeder in Marrakech en verder staat ze er alleen voor, en bovendien …'

'En bovendien heeft ze een brave ziel gevonden die geen nee kan zeggen en zich het lot van anderen aantrekt alsof het haar eigen lot was. Alsof jij de schuld hebt van alles wat er om je heen gebeurt.'

'Nu weet ik het wel, papa.'

'Daar is anders niets van te merken,' foetert hij met een volle mond. Hij schuift de kom met een nijdig gebaar opzij.

'Wat is er? Vind je het niet lekker?'

Hij kauwt en slikt.

'Nee, daar ligt het niet aan. Het bevalt me niet je zo te zien, Tina. Het bevalt me niet dat je geen grenzen kunt stellen omdat je bang bent mensen voor het hoofd te stoten. Omdat je denkt dat voor jezelf opkomen slecht is.'

Hij heeft gelijk en dat weten we allebei, maar ik heb liever dat hij het laat rusten. Ik ben moe.

'Je bent zestig, kleintje, en je kunt nog geen nee zeggen tegen zaken die je schaden. Dat is triest.'

Vanaf mijn stoel zie ik Verónica voor de glazen deur langslopen. Ze is in gedachten verzonken, afwezig.

'Zoals je overkwam met Constanza, kindje.'

Verónica blijft even staan bij een bed met hortensia's en concentreert zich op iets wat ik niet kan zien.

'Bij haar blijven was een vergissing, Tina.'

Verónica verdwijnt uit het zicht, gevolgd door haar schaduw op het gazon.

'Voor jou. Je vergiste je voor jezelf,' zegt hij verdrietig. 'Je had naar me moeten luisteren.'

Gedurende al deze jaren vormde dat altijd het struikelblok als papa en ik over onszelf praatten. Aanvankelijk stond papa erop dat ik iemand zou inhuren om mama te verzorgen. Hij wilde per se de kosten op zich nemen. 'Eén persoon, twee. Zoveel als nodig is, meisje,' drukte hij me op het hart van een afstand, zowel de fysieke als de werkelijke. En ik loog, vastgeroest aan de zwijgende afzondering van mama en de droevige blik waarmee ze alles verdreef toen ze van hem scheidde en ik bij haar introk. Ik loog: 'Maak je geen zorgen, papa. Zodra mama beter is, zodra ze het te boven is, haal ik er iemand bij en ga ik weer op mezelf wonen. Nu nog niet. Het is nog te vroeg. Ze heeft tijd nodig.' En tijd heb ik haar toen gegeven. En ze heeft die van me afgepakt en me bij hem weggehouden, tot wanhoop van papa. Tijd is wat me door de vingers is geglipt gedurende meer dan twintig jaar, tot gisteren aan toe. Al die tijd zorgde ik voor iemand anders. Eerst afwachtend, later berustend.

'Mama had me nodig. Ik kon haar niet alleen laten. Dat weet je.'

Dit gesprek hebben we al vaker gevoerd, zonder tot deze kern te komen. Papa is verdrietig om mij. Om mijn zwakte. Die zit hem dwars.

'Dat is niet waar. Constanza had een getuige nodig voor haar ellende, maar jou niet. Jij liet alleen toe dat zij en de schuld voor jou beslisten. Dat is alles.'

Dat is alles, zegt hij. Misschien. Maar dat doet er nu niet toe.

'En jouw leven, Tina? Waar heb je dat gelaten? Waar is het sindsdien gebleven?'

Het doet pijn. Het doet pijn als hij zo tegen me praat. De zaken zijn niet eenvoudig. Voor sommigen niet.

'Hier, papa. Mijn leven is hier. Dit is het.'

'Dat is niet waar. Dit is ervan overgebleven toen je het weigerde te leven. Jouw leven ziet er anders uit, meisje. Het leven ziet er anders uit.'

Hij beschuldigt me niet, papa. Dat is het niet. Hij spreekt alsof hij me niet ziet. Alsof hij denkt aan iemand die hier op dit moment niet aanwezig is.

'Voor jou is het eenvoudig, papa.'

Eventjes houdt hij zijn mond. Als hij weer verdergaat, klinkt zijn stem anders, vermoeid, afgepeigerd.

'Nee, dat is het niet. En dat was het toen ook niet. Maar ik deed wat volgens mij het beste was.'

'Dat weet ik.'

'En in al die jaren dat ik was gescheiden van mijn spullen, van wat mij rechtens toekomt, heb ik nooit spijt gehad van mijn beslissing weg te gaan. Dat moet je geloven.'

'Ik geloof je.'

'Wat ik mezelf misschien nooit vergeef, is dat ik er niet was voor jou en dat ik jouw leven heb gemist. Dat ik jou in de steek heb gelaten. Jou en Lucas en Verónica. Dat ik jullie ben kwijtgeraakt.'

Hij legt zijn handen op tafel en staart naar de witte tegels op de muur. Zo, in het felle keukenlicht, ziet hij er oud uit. Een perkamenten huid rond zijn ogen, beschilderd met adertjes en rimpeltjes die anders niet opvallen. Een vermoeid gezicht. Hij is al heel lang vader.

'Ik ben bang, Tina,' zegt hij met een uitdrukking die ik niet ken. 'Bang dat het te laat is.'

Ik weet niet wat ik moet zeggen, maar hij verwacht blijkbaar geen antwoord. Hij staart afwezig naar de muur, met zijn blik naar binnen gericht, op iets wat ik niet kan zien. Papa praat tegen zichzelf en dat bevalt me, want dan vergeet hij mij en kan ik ademhalen. Maar ik bespeur in zijn uitspraak ook iets wat ik niet eerder had opgemerkt. Het is een zekere haast, de wens iets te zeggen wat hij niet onder woorden kan brengen. Als een kind dat wacht op een vraag om zijn kattenkwaad op te biechten. Of als iemand die bang is dat ze hem niet vergeven maar die ook niet wil liegen.

'Er zijn dingen waar jij niets van weet, kleintje.'

Dingen waar ik niets van weet, zegt hij. Dat klinkt niet best. Dat papa het zegt, een man zoals hij, altijd zo direct en met een hekel aan omwegen, klinkt vreemd. Een waarschuwing, dat is het.

'Wat voor dingen? Waarover?'

Hij wendt zijn blik langzaam naar het raam, en met zijn nagel volgt hij een scheur die de kou en de warmte door de jaren heen in het hout van de tafel hebben gemaakt.

'Over mij.' Hij steekt zijn nagel in de scheur en laat

hem daar, als een kromme spijker in een dikke plank. 'Over je moeder.'

Ik adem wat rustiger. Tenslotte zal er na al onze jaren samen wel niet zoveel zijn wat ik nog niet weet van mama. Tenminste, niets wat er nog toe doet.

'Wil je het me vertellen?'

Hij kijkt me niet aan. Ik praat tegen hem zoals je tegen een kind praat en hij gaat weer met zijn vinger over het hout, ditmaal schraapt hij met zijn nagel achtergebleven broodkruimels uit de scheur.

'Het aan jullie vertellen,' mompelt hij. Ik begrijp hem niet. Even meen ik dat ik het niet goed heb verstaan, ik begrijp het meervoud niet, en ook niet wie hij bedoelt. Hij haalt me uit mijn onzekerheid. 'Aan jullie drieën.'

Ik ben verdwaald. Hij zet me op een dwaalspoor, deze bereisde man die hier naast me zit en die ineens verlegen, bijna beschaamd, wordt. Zo is papa niet. Of zo was hij niet. Ik weet het niet meer.

'Al weet ik niet hoe,' verzucht hij. 'En ik weet ook niet wat er daarna zal gebeuren.'

Zijn nagel staat stil en papa kijkt me aan. Er zit een kind in hem, nu zie ik het. Het jochie is bang, want hij weet dat de waarheid niet altijd wordt beloond. Er is angst voor het onbekende en angst voor het vragen van hulp, voor het niet weten hoe dat moet. Ik weet niet wat hij op zijn lever heeft, en ook niet waarom hij heeft besloten het nu te zeggen, maar aan zijn gezicht te zien was dit de reden van zijn komst en moet hij iets kwijt. Dat heeft hij nodig. Ik wil hem vragen om even te wachten, zeggen dat ik Lucas en Verónica ga halen en dat we samen aan tafel gaan zitten om te luisteren naar wat opa hun te vertellen heeft. Dat hij zich geen zorgen hoeft te maken. Dat ik zo terugkom. Dat er niets gebeurt. Maar

ik heb liever dat hij degene is die vraagt, die de tijd aan-
geeft.

'Je vindt wel een manier, papa,' zeg ik, en ik leg mijn
hand op de zijne. 'Wacht maar af.'

Hij antwoordt met een dankbare glimlach en een kort
zinnetje, dat hij bijna fluistert voordat hij gaat staan.

'Ik hoop het, kleintje. Ik hoop het,' zegt hij. Hij streelt
mijn gezicht en strompelt de tuin in.

De aprilwind waait nauwelijks en onze longen vullen zich met de geur van zout terwijl we de weg aflopen die langs het strand voert. Opa en tante Martina gaan voorop, omringd door de honden, die elkaar najagen door het gras. Lucas loopt naast me en de meeuwen wiegen sloom; soms schreeuwen ze hoog in de lucht, soms niet.

'Heb je opa al gesproken?' vraagt hij voor de vuist weg.

Even weet ik niet wat hij bedoelt, en zijn stem slaat een gat, dat ik opvul met de vraag die opa vanochtend stelde: vind je mij echt geen goede man? Ik kon hem toen niet antwoorden en de vraag blijft door mijn hoofd spoken, op zoek naar een antwoord. Lucas kijkt me aan.

'De stichting, Verónica. De weddenschap,' zegt hij glimlachend, en hij schudt me wakker.

Ergernis. Het ergert me als ze wat van me eisen wanneer het niet uitkomt, en dat weet hij. Van mij, de enige die haar zaakjes altijd voor elkaar heeft.

'Rustig, oké?'

Hij steekt zijn handen omhoog. De glimlach blijft.

'Goed, goed. Het was maar een vraag.'

'Ik heb beloofd dat ik het zou doen, toch? Je moet me niet op de nek zitten.'

We zwijgen. Ik keer terug naar opa's vraag en Lucas naar zijn rustige wereld. Enkele meters voor ons zijn tante Martina en opa gestopt bij een bloeiende heester, die ze aandachtig bewonderen. Twee van de honden lopen de weg af. De derde blijft bij opa, stijf naast zijn been. We halen ze zo in.

Als ze ons aan zien komen, kijkt opa naar Primavera, die haar kop optilt en gaat zitten.

'Meisje,' zegt hij tegen Martina. 'Wist jij dat de gremlin slaapwandelt?'

Tante Martina kijkt op van de heester.

'Hoe bedoel je, "slaapwandelt"?'

'Zoals ik het zeg. Kijk eens naar haar. Ze heeft haar ogen open en loopt.'

'Ja, natuurlijk.'

'Maar ze snurkt.'

We lachen. Wij drieën. Opa heeft gelijk. De drie honden piepen bij het ademhalen, alsof ze snurken. Alsof het ze moeite kost.

Op dit gedeelte wordt de weg breder en vlakker. We lopen met zijn vieren naast elkaar, omringd door de scherpe geur die de oceaan over de kust spat. We lopen langzaam, ieder van ons in gedachten verzonken, totdat opa's stem ons van achteren verrast.

'Zeg, meisje.'

Het is een verrassing dat we niet hebben gemerkt dat hij achteropraakte. Maar de vraag is ook verrassend. We draaien ons om en zien hem tegen een van de palen leunen die, met een touw verbonden, de weg naar het strand wijzen. Hij voelt aan zijn zij en krabt rustig onder zijn ribben.

Meisje, zegt hij. Zodra mijn ogen de zijne ontmoeten, begrijp ik dat ik dat meisje ben en dat hij het tegen mij heeft. Ik zeg niets. Daar krijg ik geen tijd voor.

'Je moet me antwoord geven,' zegt hij. Naast me fronst tante Martina haar wenkbrauwen, van haar stuk gebracht. 'Op de vraag.'

Op een rij. Lucas, Martina en ik op een rij voor opa als drie stoute kinderen met hun gezicht naar de muur. Of als drie soldaten voor een veroordeelde, eenieder geladen met zijn eigen munitie.

Ik weet wat hij van me vraagt, maar ik weet niet wat ik hem wil geven, en dat stoort me. Ben ik een goede man? vraagt hij.

'Waarom, opa? Waarvoor?'

Hij blijft onbewust over zijn zij wrijven.

'Misschien omdat ik oud ben.'

Wat kan mij dat schelen, hoor ik mezelf denken. Wat kan mij het schelen dat je oud bent. Alsof je dan ergens recht op hebt. Op vragen. Of op antwoorden.

'En omdat het belangrijk voor me is wat jij denkt,' zegt hij. Een tiende van een seconde wendt hij zijn blik af, maar het voelt voor mij als een heel uur. Als hij zijn ogen weer opslaat, omhelst hij ons ermee. 'Wat jullie denken.'

Er zit stilte tussen zijn woorden en ons. Het is de afstand die een artiest schept tussen zichzelf en het publiek wanneer hij het podium betreedt. Nu begrijp ik de afstand, zijn afstand. Daar voelt hij zich prettig bij. Wij niet.

'Weet je wat ik denk, opa?'

Hij richt zijn blik op mij.

'Nee.'

Naast me steekt Lucas een sigaret op, hij buigt voorover om met zijn lichaam het vlammetje van de aansteker te beschermen. Tante Martina beweegt zich niet.

'Ik denk dat je oud bent geworden en rustig wilt sterven.'

Hij glimlacht, maar gekweld.

'Dat kan zijn.'

'En dat je berekeningen je in de steek laten.' De rookpluim van Lucas pakt me even in, en vertroebelt mijn blik. Dan trekt hij weg. 'Ze klopten niet omdat jij jezelf niet ziet.'

Hij fronst en strekt zijn rug tegen de paal.

'En jij wel?' vraagt hij met een vlakke stem, die ik hem

niet eerder heb horen gebruiken. Het is een stem die weinig vibreert, aangeblazen. 'Zie jij me?'

Vragen. Meer.

'Ja, opa. Ik zie je al jarenlang. Ook al was je hier niet.'

Hij richt zijn ogen op de zee en staart naar de horizon. Een windvlaag waait door zijn haren en een meeuw is iets verderop op een paal gaan zitten. Hij kijkt naar ons, onbeweeglijk.

'En wat zie je dan, meisje?'

Ik voel tante Martina's knokige hand op mijn schouder en het gewicht van haar vingers in mijn huid alsof de meeuw daar zit en niet langer op de paal. Haar vingers sluiten zich een stukje. Ik niet.

'Ik zie een man die bang is voor het antwoord dat hij al kent. Dat is wat ik zie.'

Hij glimlacht, en ditmaal is het een vertrouwde lach. Die van Rodolfo voor zijn publiek. Ten teken dat hij lekker in zijn vel zit. Die van De Stem.

'Misschien had je beter moeten kijken.'

'En misschien had jij de zaken anders moeten aanpakken.'

Hij gaat op zijn andere been staan en houdt zijn hoofd een beetje schuin.

'Vast wel. Maar misschien zien de zaken er anders uit dan jij denkt.'

'Ja ja. En daarom ben je gekomen.'

'Nee,' antwoordt hij heel vriendelijk. 'Ik ben gekomen omdat ik jullie wilde zien. Jullie drieën. Samen.'

Ik spring op hem. Ik weet niet precies vanwaar. Alleen dat de sprong bijna fysiek is, ik voel het aan mijn spieren.

'Goed dan. Je hebt ons gezien. Bedankt voor het bezoek, opa. Nu kun je verdergaan met je leven. Tevreden? Gelukkig?'

Hij zucht diep en klakt met zijn tong.

'Nee, meisje. Niet gelukkig.'

'Had het dan eerder bedacht, verdomme.'

De hand naar zijn zij en een lichte grimas van pijn. Pijn die voorbijgaat.

'Dat heb ik gedaan, meisje. Je weet niet half hoeveel.'

Ineens vermengt de warmte die tante Martina's hand me instraalt zich met een andere warmte, die opstijgt vanuit mijn buik. Het is een warmte met een vieze kleur, de kleur van woede. Zo komt mijn stem eruit: gejaagd en vol gal. Ontstoken.

'Ik weet al wat ik moet weten, opa. Dat weet ik al lang, iedereen weet het al lang. En ik weet ook dat jij hier niet hoort te zijn. Dat je ons niet helpt.'

Hij is onaangedaan. Hij staat gespannen en strak alsof er op slag twintig jaren van hem af zijn gegleden. Groter. Voorbereid.

'En ik weet ook dat een goede man in de verste verte niet op jou lijkt. Een goede man laat zijn vrouw niet in de steek zoals jij met oma deed, die versleten en gek van verdriet achterbleef nadat jij ons papa had afgepakt met je opwelling van sterallures. Dat is geen goede man, opa. Dat is geen goede man. Wat wil je? Waarvoor ben je gekomen? Om vergeving te vragen? Zodat degenen die je achterliet, tot hun nek in jouw shit, ja zeggen, zodat de arme drommel in vrede kan sterven omdat het achter de rug is en dus nooit gebeurd is? Nou nee. Het is wel gebeurd, opa, en er is veel gebeurd. Alles. Mijn broer en ik bleven hangen in het leven omdat jij erop aandrong dat papa die nacht zou reizen om jouw succes te zien. Jij wist dat hij, ondanks zijn vermoeidheid, ondanks het feit dat het onverantwoord was, jou niet in de steek zou laten, omdat hij nooit iemand in de steek liet. En je had maling aan de risico's. Je had maling aan alles. Alleen jij en je verrekte publiek. Dát is er gebeurd.'

Vanaf zijn kant van de weg kijkt opa me bedachtzaam aan. Het is een blik zonder glans, naar binnen gericht, een blik die niet ziet waar ik nu ben en wat me omringt. Er zijn stemmen in die ogen, stemmen die alleen hij kan horen en die boven ons cirkelen, als een zwerm vogels die niet klapwieken, vogels vol stilte. En er is ook een oud en strakgespannen touw waaraan wij bungelen over de rand van het klif, hij boven, wij beneden, tante Martina, Lucas en ik in de lucht: drie alpinisten die zijn uitgegleden en die de voorste man achter zich aan de berg op sleurt, uitgeput. Doodop.

En er is een knal die tegen de struiken weerkaatst en de lucht vult met alles wat opa ons tot nu toe nooit heeft verteld. Dat is er allemaal, wat altijd voor ons is verborgen, in stilte, aan de andere kant van de oceaan.

De knal komt van het touw dat breekt.

Het is opa's stem. En een zin van negen woorden, in tweeën geknipt.

'Nee, meisje. Dat is niet wat er is gebeurd.'

Het is stil geworden en het middaguur baant zich een weg tussen ons door, overladen met berichten. Achter Verónica, Martina en Lucas is een leegte die in de zee rust. Boven hen zwerft een meeuw, die niet meetelt. Wat telt is hun aandacht. Die van alle drie. En de waarheid telt, die dat na al die jaren nog steeds is, de waarheid van die zwarte nacht die Fernando en Emma opslokte en ons leven verdeelde in een voor en een na. En wat telt is wat ik me herinner en hardop vertel nu Constanza er niet meer is en mijn woorden haar niet kunnen kwetsen. Luid en duidelijk. Zodat ze me kunnen horen en begrijpen dat het beste niet altijd de weg van de minste weerstand is. Nee, dat is het beslist niet.

De waarheid.

De waarheid is dat er vanuit Parijs een telefoontje kwam dat Fernando aannam, dat klopt. Het kwam echter niet van mij maar van Constanza. Een Constanza die buiten zichzelf was, razend op mij omdat haar fantasie weer eens op hol sloeg en haar blind maakte van jaloezie. Ze belde met een waas voor haar ogen. Onbeheersbaar.

We waren nog niet geland in Parijs, of Constanza was doorlopend beducht voor Michèle, de persoonlijke assistente die de leiding van het Olympia me had toegewezen en in wie Constanza meteen alle gevaren en verleidingen zag die ze overal bespeurde. Ze werd meteen jaloers en alles ging moeizaam. Het gala voorbereiden, rondlopen, ademhalen met een gekweld kijkende en lijdzaam zuchtende Constanza in de buurt. Zo had ze al veel avonden in evenzoveel steden vergald. Het viel niet mee haar ervan te overtuigen dat Michèle in mijn suite was om me te helpen bij het uitkiezen van een outfit voor het televisieoptreden. Constanza zag werk, maar haar jaloezie veranderde het in een slippertje. De toestand was zo zorgelijk en Constanza zo hatelijk, zo agressief, dat Michèle vluchtte en ik me opsloot in een hardnekkig zwijgen aan de andere kant van de badkamerdeur. Terwijl ik probeerde mijn rust te hervinden in de kille badkamer van het hotel, hoorde ik Constanza bellen, aldoor maar weer, met steeds dezelfde boodschap, hortend en snotterend: 'Ik ben zijn moeder. Zodra hij klaar is, moet hij me bellen. Het is dringend.' Dat was het bericht en dat waren de woorden. En de minuten verstreken in onze microkosmos van onbegrip, zoals in twee landen met verschillende tijdzones. Haar land vroeg om hulp, door berichten te sturen naar degene van wie ze wist dat hij zou luisteren, omdat hij dat altijd deed. Fer was er altijd voor zijn moeder. Altijd stipt. Mijn land aan de andere kant van de deur was moe van haar en haar angsten, moe van alles.

Tot eindelijk de telefoon rinkelde en Constanza's stem het verdriet, de woede en alles wat ze bij mij vermoedde, oppakte en het huilend in de hoorn slingerde naar onze zoon, met gemaakte stiltes en alleen om gehoord te worden. En daarna hoorde ik haar smeken.

'Kom, Fernando. Alsjeblieft. Kom of ik weet niet waartoe ik in staat ben. Ik zweer het.'

Ik zweer het. Uit de doffe stilte die erop volgde en uit de gespannen kalmte waarmee Constanza de hoorn neerlegde, maakte ik Fernando's antwoord op. Daarna hoorde ik haar weggaan.

Uren later, midden in de nacht, rinkelde de telefoon opnieuw. Toen kwam het ergste. Toen kwam de horror, het nieuws waarop geen enkele vader is voorbereid, omdat het niet bij het vaderschap is inbegrepen, omdat het aan alles een einde maakt. De dood kwam, het ongeluk, en de horror verspreidde zich door de kamer als een modderstroom die uit de telefoon kwam en ons onder afschuw bedolf. Vanaf dat moment, in de uren die volgden, stak er ook een wervelwind van woorden en beelden op die we nooit hadden verwacht in ons leven: afgrond, vlammen, lichamen, lijken, identificeren, repatriëren, autopsie, begrafenis, bloemen.

Bloemen.

Geen bloemen meer in het grote huis. Geen licht meer. Sinds die nacht was het leven besmeurd en zat er een scheur tussen Constanza en mij die niet meer viel te repareren. Zij zat opgesloten in haar verdriet en ik in het mijne. Geen gezamenlijk verdriet, niks gedeelde smart is halve smart. De begrafenis van Fernando en Emma begroef wat ons bijeenhield en de aarde viel op ons hoofd, confronteerde ons met elkaar. Constanza zocht haar toevlucht in de ijzeren stilte van een ingestorte moeder, terwijl elke vezel van haar lichaam mij beschuldigde van onze wederzijdse ellende, die zij zich al snel toe-eigende, waarbij ze mij aan de kant drukte, en die ze me later geheel in de schoenen schoof. Ik zonderde me af en gaf haar ruimte, ik vertrouwde op de tijd, maar haar ruimte groeide, en duwde me achteruit, overgeleverd aan de opmars van de razende moeder. Ik ging weer zingen, reizen. Meer gala's, meer concerten, meer platen. Meer, meer, meer … weg, eruit, lucht. Maar ik vergiste me. Ik vergiste me omdat mijn afwezigheid niet hielp en haar juist de gelegenheid bood beetje bij beetje haar eigen werkelijkheid te creëren. Wat aanvankelijk hatelijke en misplaatste opmerkingen waren waarin ze mij ervan beschuldigde, mij en mijn ontrouw, dat ik haar had gedwongen dat telefoontje naar Fernando te plegen. Alles wat zij niet onder ogen durfde te zien, smeet ze mijn kant op. Er tekende zich een nieuwe, helende waarheid af, waarin zij evenzeer slachtoffer was als Fernando en Emma. Ze ging terug in de tijd en verzon een nieuwe avond in het hotel, die ze zorgvuldig boetseerde, met een geheel andere rolverdeling. In haar versie hoorde ze mij bellen met Fernando om te vragen of hij bij ons in Parijs wilde komen, omdat zonder hem mijn debuut in het Olympia onvolledig zou zijn, omdat hij niet mocht ontbreken. In haar verbeelding kregen Fernando en ik een band die we nooit hadden, omdat zij dat niet toestond. Fernando kwam haar toe, en niemand anders. Emma niet, zijn kinderen niet, het leven niet. Ze had hem aan zich gebonden en zo was hij opgegroeid, als mos op een boomstam, schaduw op schaduw, lucht zonder lucht.

Twee jaar. Twee jaren vol schuld, waar ik geen einde aan kon maken, omdat ik geen kracht had. Want als ik stopte, zou ik verdrinken. Constanza wentelde zich in die nieuwe waarheid en breidde haar uit naar alles wat ons aanging, ons tweeën. Gescheiden slaapkamers, beladen stiltes, geen genade, geen rust. Totdat ik het op een zekere dag, bij thuiskomst na een tournee, niet langer kon verdragen en haar vertelde dat ik wilde scheiden. Daar wilde ze niets van weten. Ze hoorde mijn hele verhaal aan. Ze bleef zitten waar ze zat en keek me aan alsof ze me voor het eerst na maanden weer zag. Daarna zei ze iets wat ongeveer zo klonk: 'Als je gaat, zullen ze het weten.'

Alleen dat. Als je gaat, zullen ze het weten. En dat 'weten' sloeg blijkbaar op de nieuwe waarheid, de nieuwe schuldige, de moordenaar van Fernando, die op de vlucht sloeg en alles achterliet: huis, kleinkinderen, dochter en een vrouw die gesloopt was door het verdriet. Ik begreep meteen dat alles zinloos was, omdat zij al had besloten te blijven en mij eruit te gooien. Ik begreep dat ze die waarheid al had gedeeld met Martina en de kleintjes en had veranderd in dé waarheid tijdens mijn afwezigheid. Dat zij daar nu in leefden, en mij van daaruit bekeken, mij erbuiten plaatsten. Zich van mij vervreemdden.

'Weg,' zei ze vervolgens. 'Ga weg. Verdwijn.'

'Weg' betekende de andere kant van dezelfde oceaan. 'Weg' was Buenos Aires. Constanza bleef achter met haar wrok tegen het leven en tegen de schuld. Ze leefde haar rol liever alleen, zonder getuigen à charge. 'Weg' betekende wereldwijd succes hebben als artiest. De man was begraven en de zanger opgestaan. 'Weg' betekende twintig jaar stilte en vele andere dingen: het leven van mijn familie niet rechtstreeks meemaken, wachten op de dood van Constanza, om hopelijk nog op tijd te komen. En angst. Angst om eerder dan zij te sterven, angst voor ziekte, voor invaliditeit. Voor geheugenverlies. Voor vergeten.

En de vrees dat het te laat zou zijn. Dat mijn familie me niet meer zou geloven. Me niet zou vergeven.

Tot hier.

Zoveel tijd.

Dé meeuwen scheren over het strand, zwevend op de stilte die boven mijn woorden hangt. De steken in mijn zij keren terug, schieten van mijn dikke darm naar mijn longen, werpen me tegen de paal. Misschien heeft Verónica gelijk en hoor ik hier niet te zijn. Misschien heb ik me vergist en ben ik hier te oud voor. Ik ben niet meer de jongste.

Voor me staat Verónica, die haar hoofd laat leunen op Martina's arm. Mijn dochter heeft haar ogen gesloten en haar hoofd gebogen. Lucas staart naar de zee. De lucht ruikt zout en puur.

'Wat vinden jullie? Zullen we naar het strand gaan?' hoor ik mezelf vragen met een schorre stem, die niet klinkt als de mijne, maar die me wakker schudt.

Ik wacht. Ze bewegen zich niet. Ze zeggen niets.

'Misschien was het toch niet zo'n goed idee, hè?'

Niets. Alleen de schreeuw van een meeuw, scherp als een bergkristal, en de steeds heftiger bewegingen van mijn ingewanden.

'Ik denk dat ik naar huis ga. Gaan jullie maar. Ik moet even liggen,' zeg ik ten slotte, en ik duw mezelf van de paal af en keer hun de rug toe. 'Ik zie jullie straks wel.'

Het valt niet mee om over het natte zand omhoog te lopen. Het valt niet mee zo, met mijn rug naar mijn betoog, vastgenageld aan de stilte achter me, die ik weet niet wat inhoudt. Het valt niet mee ze achter te laten, maar ik moet verder. En ik zet door, stap voor stap, langzaam, zwoegend, en gewend aan afscheid nemen. Aan verdriet.

En zo loop ik door, op weg naar de top, tot het gewicht van een hand op mijn arm mijn pas onderbreekt, een stem me interrumpeert. Dan komt er een schaduw over de grond dichterbij, die mijn schaduw vindt, en aan de omtrek herken ik het magere en sobere figuur van mijn kleindochter. Mijn rustige kleindochter, met mij verbonden op het zand van de weg als de laatste twee bomen van een bos dat er niet meer is. Mijn kleindochter en de ruwe bast die haar bedekt. Haar hand op mijn arm. En de wind steekt weer op, fris, dwarrelend.

'Opa,' zegt haar stem achter mijn rug. Ik slik, want

deze boom is oud en is lang geleden gestopt met het aanmaken van sap, om het zo lang mogelijk uit te houden met de voorraad die hij nog heeft. Haar hand sluit zich om mijn onderarm en ze trekt me zacht naar zich toe. Zacht, heel zacht is de kracht van Verónica, gewend als ze is aan het verzorgen van gewonde dieren. Gewend aan de angst om afgewezen te worden.

Ik laat haar aan me trekken tot ik haar gespannen schouder voel en daar steun bij zoek. Dan haakt ze haar arm in de mijne en duwt ze me met haar zachtheid naar voren. Met haar mee.

Opa. Verónica. Zand. Huis.

'Kom,' zegt ze, met een glimlach die ik niet zie. 'Je kunt het niet alleen.'

Vanuit de oceaan valt de nacht over het strand. De deining wiegt ons in het water en de zon, onder de mantel van de wind, verwarmt de lucht. We bevinden ons in een aangename zeepbel van mildheid. Dit is ons strand. Hier hebben tante Martina en ik vele middagen kletsend doorgebracht, lol gehad zoals ik die alleen met haar kan hebben. Ik weet dat ze altijd voor me klaarstaat. Ze lijkt in zoveel opzichten op mama, tante Martina. Zo vertrouwd.

De bekentenis van opa heeft dingen aangestipt die we nauwelijks hebben gedeeld en waar we liever aan voorbijgingen om het gesprek niet te verstoren, het gesprek dat we reserveren voor de uurtjes die we samen doorbrengen op dit strand, dat ons heeft zien komen en opgroeien. Met ons gezicht naar de zee wiegen de fluisterende golven ons in stilte, laten ze ons rusten.

'Papa heeft me gevraagd met hem mee te gaan naar Buenos Aires,' zegt ze ineens. De zee omarmt haar stem en fluistert het terug.

Seconden verstrijken, tot ze eindelijk verdergaat.

'Ik ga niet.'

We zwijgen weer. Tante Martina komt het dichtst bij een moeder sinds mama stierf. Ze heeft iets van een hartelijke omhelzing die me opbeurt. Bij haar kan ik nadenken. Ze vraagt niets van me. We vragen niets van elkaar.

Ze kijkt me aan.

'Die nieuwe choreografie die je maandag uitvoert, hoe is die?'

De vraag verrast me niet. Onze conversaties komen en gaan als sprongetjes in de tijd, die de een nu eens oppakt

en de ander minuten later beantwoordt. We volgen on-
gehaast de rode draad. Het is een vertrouwd ritme. Het
onze.

'Moeilijk.'

Ze glimlacht. Ze lacht graag naar me. Als ik niet bij
haar ben, als ik weg ben, denk ik zo aan haar, terwijl ze
naar me kijkt en naar me lacht. Naar me luistert.

'Dat is niets nieuws, jongen.'

Nee, dat is niets nieuws; ze heeft gelijk. Het stuk is
moeilijk omdat het korter is dan gebruikelijk en omdat
het een solo is die wemelt van de onmogelijke pirouettes.

En ook omdat er misschien niets na komt.

'Misschien is het de laatste, tante.'

Ze lacht haar vaste lach.

'Ja, natuurlijk. De laatste is altijd het moeilijkst.'

Ze heeft me niet begrepen.

'Nee, tante. Ik bedoel dat het misschien werkelijk de
laatste is. De laatste die ik dans. Mijn afscheid.'

Nu wel. Nu begrijpt ze me en kijkt ze naar het water,
licht fronsend.

'Waarom?'

Ik kan op haar 'waarom' duizend antwoorden geven,
die ik honderdmaal heb bedacht en geoefend en die on-
getwijfeld volstaan. Ik zou kunnen zeggen dat ik moe
ben, dat ik volwassen ben, uitgekeken, dat ik eens iets
anders wil. Dat zou kunnen en het zou allemaal kloppen,
maar dat is bij tante Martina niet nodig.

'Omdat ik overweeg terug te komen.'

De frons op haar voorhoofd wordt dieper. Ze houdt
haar hoofd een beetje schuin en lijkt het antwoord te
overpeinzen.

'Terugkeren? Waarheen, jongen?'

'Hierheen. Naar huis.'

Ze draait haar hoofd langzaam mijn kant op en verbergt haar verbazing niet.

'Hierheen?'

'Ja.'

'Waarvoor?'

Het is geen verwijt. Het is gezonde nieuwsgierigheid. Het is interesse.

'Ik wil hier graag een tijdlang blijven. Nadenken. Stilstaan.'

Stilte. Het licht wordt al minder fel. De meeuwen trekken zich terug.

'Ik dacht dat jij het geweldig zou vinden.'

Nu glimlacht ze weer.

'Dat weet je toch.'

Ja, natuurlijk weet ik dat.

'Nu oma is overleden, woon je helemaal alleen in dat grote huis.'

Ze blijft zwijgen en ik maak van haar zwijgzaamheid gebruik om een sigaret op te steken.

'We vermaken ons wel met zijn tweeën, toch?' zeg ik, en ik geef een klap op haar knie. Zij legt haar hand op de mijne.

'We vermaken ons altijd met zijn tweeën hier, jongen.'

'Ja.'

'Maar ik weet niet zeker of dat het is wat je wilt.'

Fauna en Flora spitsen hun oren. Ze liggen voor ons in het zand. Primavera is achter opa en Verónica aan gelopen.

'Ik hoef je niet te zeggen hoe graag ik je hier bij me heb, Lucas,' begint ze. Ze trekt haar hand terug. 'Maar je moet het niet doen omdat je denkt dat ik alleen ben en gezelschap nodig heb. Dan hoeft het niet.'

'Dat is het niet, tante. Dat moet je niet denken.'

Ze kijkt me weer aan en Fauna rekt zich uit met een bek vol kromme tanden.

'Wat is het dan?'

'Dat ik niet weet of ik kan blijven draaien, tante. En tegelijkertijd ben ik bang om te stoppen, want nu besef ik dat ik nog nooit ben opgehouden met draaien en ik weet niet hoe het leven eruitziet als ik dat doe.'

Ze knikt langzaam, attent en geduldig.

'En ik geloof dat de enige plek waar ik me veilig voel hier is, bij jou. Thuis.'

De zon gaat onder en de schaduwen vermengen zich met de eerste strepen van de schemering. Voor ons likt het donkere water aan het zand en trekt het zich weer terug, vloeibaar en gul.

'Ik begrijp je, lieverd, en ik begrijp ook waar het vandaan komt.'

'Dat weet ik.'

'Maar zo wil ik je niet. Ik wil je niet als een vluchteling, Lucas. Dat is niet goed voor je. Stop met dansen als je wilt, maar doe het dan omdat je wilt leven en groeien, niet om je te verstoppen en je af te zonderen. Vraag me niet om je daarbij te helpen, want dat kan ik niet. En ik weet waarover ik praat, neem dat van me aan. Ik heb me hier bij mama begraven omdat zij het me vroeg, dat klopt. Maar ik zou liegen als ik je zei dat dat het hele verhaal was. Dat ik wilde komen en blijven kwam doordat ik niet wist hoe ik verder moest met mijn leven en ik erachter kwam dat dat hier niet uitmaakte. Hier hoefde je alleen maar aanwezig te zijn, het uit te houden. Ik wilde vertrouwd gezelschap om me te begraven in het bekende en ik wilde mezelf ontlopen.'

Zichzelf ontlopen. Ja, een beetje rust. Ik begrijp wat ze zegt. Tante Martina staat dicht bij me. Zoals altijd, staan we dicht bij elkaar.

'Ik kan niet toestaan dat jij je hier bij mij begraaft, jongen. Dat kan ik niet omdat ik van je hou en omdat ik het mezelf nooit zou vergeven. En er is al zoveel wat ik mezelf niet vergeef. Ik wil je daar buiten zien vechten en vooruit zien gaan, en als je komt, laat het dan hiervoor zijn,' zegt ze, en ze wijst om zich heen, naar alles wat we zien en wat we niet zien. 'Misschien kunnen we je een plekje bieden waar je durft te draaien omdat je ervan geniet, omdat je gevoel het van je eist in plaats van je angst.'

Nu wint de duisternis het van de dag, en de woorden van tante Martina vliegen boven onze hoofden in het schaarse licht. Haar stem heeft een aangename kalmte, rustgevend. Ze gebruikt er geen handgebaren bij.

'Ik ben altijd hier, jongen. Het huis en het strand ook. En als je op een dag besluit terug te komen en te blijven, laat dit dan het startpunt zijn voor een nieuw begin, niet de finish. In dat geval ben je welkom.'

Ze heeft gelijk. Evenals Verónica wacht tante Martina op het moment dat ik erdoorheen zit, zodat ze mijn binnenste mogen aanraken en leren waar de wonden zitten en waar het hart.

'Maar voor het zover is, moet je eerst breken, Lucas.'

Ik weet het.

'En daar kan niemand je bij helpen. Op een dag zul je struikelen, je draait verkeerd en je struikelt over jezelf. Dat is het begin. En het zal goed zijn. Dat zul je zien.'

Tante Martina praat tegen me in de schemering van de avond. De nacht is bijna gevallen en als ik haar zo hoor, zo toegewijd en eerlijk, komt stoppen met draaien op me over als me laten opvangen door Verónica, me aan hen toevertrouwen. Er zit hier ergens een deur die ik nog niet zie, en het duurt niet lang meer voor hij opengaat, na al die jaren, en het licht naar binnen laat schijnen.

'En als ik nou nooit struikel, tante?'

Ik voel haar hand op mijn been en haar omtrek tekent zich vaag af tegen de zee.

'Je zult struikelen, liever. Dat doen we allemaal,' fluistert ze. 'Dat lukt jou ook wel.'

Dan verstrijken de seconden tussen haar zwijgen en dat van mij, terwijl de branding zand en stenen mee de zee in sleurt en Flora en Fauna gaan staan en blaffen tegen schimmen die wij amper waarnemen. De seconden verstrijken en tante Martina, afgetekend tegen een vale maan, die ik niet heb zien opkomen en waarbij alles in het niet valt, keert terug naar de essentie, naar het heden.

'En die nieuwe choreografie?' zegt ze met hernieuwde kracht. 'Zou ik die mogen zien?'

Ze ziet me toch niet glimlachen, dus ik doe het openlijk. Als Verónica hier was, zou ze ons aankijken en ook glimlachen.

'Wil je dat?'

'Heel graag.'

We komen langzaam overeind en stoppen de twee handdoeken weer in haar canvas tas. Fauna en Flora wachten al aan het begin van de weg en de maan verlicht het zand onder onze voeten. De wind steekt op.

'Vanavond?'

'Als dat zou kunnen.'

Ik glimlach en sla een arm om haar schouders, zoek haar warmte. Ze vlijt zich tegen me aan en ik voel haar hand om mijn middel.

'Goed. Vanavond.'

'Mag ik?'

Opa rust, zittend op bed. Zijn hoofd en rug op witte kussens. Hij lijkt te slapen. Naast hem werpt het lampje een vage kring op het plafond en vanaf hier bekeken neigt de blauwe wand naar paars. Vrijwel meteen draait hij zich om. Hij sliep dus niet.

'Ja. Kom verder.'

Ik ga de kamer binnen en loop om het bed heen naar het openstaande raam.

'Heb je het koud? Zal ik het dichtdoen?'

Hij schudt zijn hoofd.

'Nee. Het is prima zo. Het ruikt lekker.'

Het ruikt inderdaad lekker. Naar het voorjaar en naar zuurstof.

Ik ga op het voeteneinde zitten en hij doet zijn benen aan de kant om plaats te maken.

'Ben je opgeknapt?'

Hij heeft niet met ons gegeten. We hebben hem een bord gestoomde boontjes gebracht en een fruitsalade van appel en peer met yoghurt. Pure vezels voor opa.

'Jammer van het eten,' zegt hij sip. 'Ik had zo'n zin in onze vrome kindervriend.'

Pater Julián is vanavond niet komen opdagen, maar niet vanwege opa's zwakke gezondheid. Halverwege de middag belde hij om zich te verontschuldigen. Hij had andere verplichtingen, zei hij. Toen tante Martina naar boven liep om het te zeggen, maakte opa een aantal fraaie opmerkingen, die de pater hem beslist niet in dank zou hebben afgenomen.

'Mag ik weten wat je tegen pater Julián hebt?'

Hij trekt een verveeld gezicht.

'Bah,' moppert hij. 'Dat doet er niet meer toe. Zaken van oude mensen. Van vroeger.'

Van vroeger, zegt hij. Die uitdrukking bevalt me, en helemaal uit opa's mond. Daar doet het me aan denken, aan grootvaders, aan mensen met een verleden. Maar ik ben alle geheimen zat. In het bijzonder die van hem.

'Meer geheimen?'

Hij snuift.

'Nee, niet meer,' zegt hij.

'Vertel dan eens.'

Hij trekt een raar gezicht en rolt met zijn ogen.

'Hebben ze jou ooit verteld dat je een beetje opdringerig bent?'

'Vertel nou.'

Hij steekt zijn handen omhoog.

'Oké dan,' zegt hij, en hij legt zijn handen weer neer. 'Het is heel simpel. Ik had zin in die viespeuk omdat hij me heeft belazerd met je ouders en vanavond had ik een klein afscheidscadeau voor hem in gedachten.'

Het aanhalen van papa en mama overvalt me. Dat laat ik hem ook weten.'

'Met papa en mama?'

'Heb je soms meer ouders waar ik niet van weet?' grapt hij met een frons.

Ik zeg niets. Ik wacht tot hij verdergaat. Ten slotte, na een aarzeling van enkele seconden, praat hij verder.

'Bij de begrafenis van je ouders was geen priester aanwezig.'

Even vraag ik me af of ik hem goed heb verstaan, al duurt de twijfel maar een tel.

'En weet je waarom niet?'

Nee, natuurlijk niet.

'Omdat onze kindervriend ineens volhield dat je ouders niet voor de kerk waren getrouwd, zodat hij ze de laatste eer niet kon bewijzen. Zoals ik het je zeg. Dat was een bittere pil voor ons, in het bijzijn van alle pers en collega's. Je oma en ik hebben hemel en aarde bewogen om hem over te halen, maar zijn besluit stond vast. De stommeling verdween op de ochtend van de begrafenis en was nergens te vinden.'

Hij is razend. Opa kookt van woede en verliest speeksel als hij praat. Hier wil ik meer van weten.

'Een beetje vreemd, niet? Waarom zou een priester zoiets doen?'

'Omdat hij een uilskuiken is en een duivel, meisje, wat zou het? En omdat hij zich zat te verbijten in dit gat en omdat hij wist dat wij wisten dat hij hier voor straf naartoe was gestuurd. Dus besloot hij een rel te veroorzaken en een handvol punten voor katholieke rechtschapenheid te winnen bij het bisdom. Waar hij geen ruk van bezat, natuurlijk.'

Wat een priester. En wat heeft opa een scherpe tong.

'Uiteindelijk was er geen priester,' gaat hij verder. 'Een week later trok ik aan wat touwtjes in het bisdom en werd het patertje verbannen naar een groezelige parochie in een mijnwerkersdorp, waar hij heerlijk kon wegrotten. Ik meende dat hij daar nog altijd verbleef. Tot gisteren. Ik heb de hele nacht liggen tandenknarsen,' mokt hij. Dan klakt hij met zijn tong. 'Hoe dan ook,' brabbelt hij geërgerd, 'jammer van het eten.'

Ik bijt op mijn lip om mijn lachen in te houden. Hij is zo kriegelig als een kind. Ik vraag me ineens af hoe hij vroeger was. Knap, dat beslist. Zo'n man die aan vrouwelijke aandacht geen gebrek heeft. En misschien wel niet alleen aan aandacht.

'Mag ik je iets vragen?' zeg ik vanuit het niets. De vraag verrast mij zelfs, al besef ik dat hij al een tijdlang door mijn hoofd spookt. Sinds vanmiddag op de helling. Of misschien al wel langer.

Zijn gezicht vertrekt en hij zucht.

'Ik begrijp niet waarom je toestemming vraagt als je het toch doet.'

Hij heeft gelijk.

'Ben je oma weleens ontrouw geweest vóór het ongeluk?'

Hij kijkt me aan en knippert met zijn ogen, maar hij zegt niets.

'Dat vraag ik omdat oma misschien redenen had om zo jaloers te zijn,' leg ik uit. 'Geldige redenen, bedoel ik.'

Hij rolt met zijn ogen en wendt zijn gezicht af. Het is een theatraal gebaar, dat ik goed ken en dat hij vaak gebruikt.

'Vind je dat een vraag voor een heer van bijna negentig?'

Wat een sluwe vos is meneer Hoffman toch.

'Geen flauwekul, opa. Heb je haar bedrogen of heb je haar niet bedrogen?'

Hij is even stil en wrijft vouwen uit het dekbed die ik niet zie, omdat ze er niet zijn. Dan kijkt hij me aan. Vriendelijk.

'Ik zal je een antwoord geven waar je misschien niet tevreden mee bent, maar waar je het mee moet doen,' zegt hij. Dan kijkt hij naar het raam en glimlacht bijna voordat hij zijn blik weer op mij richt. 'Jouw oma is de enige vrouw geweest van wie ik heb gehouden.'

'Dat heb ik je niet gevraagd.'

Dat maakt hem niet uit. Natuurlijk.

'En ik weet zeker dat je oma nooit van een andere man heeft gehouden.'

Dat zegt hij niet met trots. Hij zegt het met gevoel. Geëmotioneerd.

'Waarom heeft ze je dan weggejaagd?'

Hij kijkt weer naar het raam en knippert met zijn ogen, hij verbergt zijn gezicht voor mij.

'Omdat ze zichzelf niet kon vergeven.'

'Ik kan je niet volgen.'

Hij zucht voordat hij verdergaat.

'Constanza kon zich dat van je ouders niet vergeven en was ervan overtuigd dat ik haar ook niet zou vergeven. Het oude liedje: iemand kan zichzelf niet vergeven en kan zich niet voorstellen dat anderen dat wel doen. Na het ongeluk besloot je moeder met de schuld te leven omdat ze geen andere uitweg zag. En ze besloot het alleen te doen.'

'En toen?'

Hij balt zijn vuisten op het dekbed en knijpt erin voor hij verdergaat.

'Dat ze me eruit smeet, was niet om me te straffen, meisje. Ook niet omdat ze niet van me hield. Integendeel. Ze hield te veel van me. Daarom moest ik weg. Om me de lijdensweg te besparen waarin ze wist dat haar leven zou veranderen. Ze besloot dat ze het beste voor haar daad kon boeten door afstand te doen van wat ze het meest begeerde. Je oma had maar twee liefdes in haar leven: de ene was jouw vader, de andere was ik. Ze had de een gedood omdat ze te veel van hem hield. Ze besloot de ander te beschermen voordat ze hem ook zou doden. Al was hij dan ver weg. Al deed het pijn.'

Stilte.

'Constanza was een bewonderenswaardige vrouw, meisje. Complex en moeilijk, dat ook, maar met een enorm hart. Een hart dat te veel liefhad en op de verkeerde manier,' voegt hij er zacht aan toe. 'Maar wie ben ik om dat te beweren, hè?'

Bekentenissen. Geheimen. Ik weet niet of opa's bekentenis me helemaal overtuigt. Het is zijn verhaal, maar het komt te gemakkelijk op me over, te mooi om waar te zijn, vooral nu oma er niet meer is. Het schiet me te binnen dat opa een artiest is, een man van het publiek, en dat hij slim genoeg is om in al die jaren een versie van zijn leven en dat van ons te creëren waarmee hij de waarheid opsiert en haar minder lelijk maakt. Zodat die niet langer pijn doet. Ons niet en hem niet.

Ik vraag me af hoeveel waarheden en hoeveel geheimen er passen in een familie als de onze. En hoeveel angst.

Nee, hij overtuigt me niet.

'Kijk eens, opa …'

Hij kijkt me aan. Opa kijkt me aan en ineens, nu ik hem zo zie, in zijn pyjama en leunend tegen de kussens met zijn handen op het dekbed, zie ik hem zoals hij is: een oude man van vijfentachtig met vermoeide ogen en vervuld van dingen die hij nooit zal weten maar die hem wel kwellen. Al mijn apen kijken op deze manier tijdens de eerste maanden bij ons in de opvang. Het zijn ogen die jarenlang in kooien hebben gezeten. Alleen. En alleen maar eruit voor een reclame en weinig anders. Vanaf het moment dat ze in de opvang komen, kijken ze ons maandenlang aan, zonder iets te vragen. Als ze de verzorgers eindelijk genoeg vertrouwen, laten ze zich aanraken door ons. De hand. Alleen de hand. Om zich stevig aan vast te klampen. Meer hebben ze niet nodig.

En opa denk ik ook niet.

Ik steek mijn hand uit en leg hem op die van hem, waarmee ik tegelijk ons gesprek bezegel. Hij knippert met zijn ogen en slikt. Vervolgens wrijft hij met zijn duim over mijn pols en zo blijven we zitten. In de tuin gaan de lampen van de muziektent aan en we zien tante Martina en Lucas voorbijkomen, die een kar meetrekken vol dozen, kabels en spullen. Opa volgt ze met zijn ogen en de oude weetgraag trekt een vragend gezicht.

'Dat zijn de luidsprekers,' leg ik uit. 'Voor Lucas' choreografie.'

Hij houdt zijn hoofd scheef.

'Met luidsprekers en al? Dus een geheel verzorgd optreden,' zegt hij, en hij trekt zijn hand terug. 'Straks moet ik mijn speciale galatrainingspak nog aantrekken.'

Ik moet lachen, en hij ook. Lucas en tante Martina verdwijnen uit het zicht, gevolgd door Flora en Fauna. Primavera is hier, op het bed, aan de andere kant van opa's benen. Ze verliest opa niet uit het oog.

'Misschien moet je morgen niet terugvliegen,' zeg ik. 'Je kunt wachten tot je je beter voelt.'

Hij grinnikt.

'Als ik morgen niet op het gala verschijn, denken ze nog dat ik halfdood in een of ander ziekenhuis lig en dan weten die duivels niet hoe snel ze de champagne moeten inschenken.'

Ik begrijp hem niet.

'Ik begrijp je niet, opa. Welke duivels?'

Hij trekt een vies gezicht.

'Los Panchos. De aanstellers.'

We zien tante Martina lachend terugkeren met een lege kar. Ze kijkt naar ons en glimlacht. Ze knipoogt naar me en mijn maag draait zich om. Ze leeft helemaal op met ons in de buurt. Het lijkt alsof er een zware last van haar schouders is gevallen nu oma er niet meer is. Maar morgen zwaait ze ons alle drie uit. Altijd maar afscheid nemen, tante Martina.

'Waar denk je aan, meisje?'

Het is opa. Hij observeert me vanuit zijn lichtbundel.

'Aan tante Martina.'

Hij strekt zijn bleke, knokige hand uit naar Primavera, die haar kop optilt en zijn vingers likt. Dan zucht ze en gaat ze dichter bij hem liggen.

'Het doet me pijn als ik bedenk hoe ze hier overmorgen is. Zo alleen.'

Primavera is al bij de kussens en ze kruipt op opa's borst. Ze is gelukkig. Opa kijkt haar aan en wrijft voorzichtig over zijn hoofd. Hij wil zijn haren niet in de war maken.

'Ik heb haar gevraagd of ze met me mee wil komen naar Buenos Aires.'

Ik slaak een kreet van ongeloof.

'En dit hier achterlaten? Ai, opa, jij bent gek.'

'Dat zei zij ook,' zegt hij binnensmonds. 'Met andere woorden, natuurlijk.'

'Wat had je dan verwacht? Dat ze als een schoothondje achter je aan loopt? Dat ze een gat in de lucht springt?'

Hij laat zich wat in de kussens zakken. Ik weet dat ik nog altijd woede in mijn stem heb, die tegen hem gericht is, al is dat gevoel nu zachter, kneedbaar. Ik heb tijd nodig, tijd met hem en ook zonder hem. Er is zoveel te overdenken ...

'Dat is wel het minste wat ik kon doen, vind je niet?'

Het lijkt wel of opa de gave heeft me daar te raken waar het het meeste pijn doet.

'Nee, opa.'

Verbaasd. Verbouwereerd.

'Nee?'

'Het minste wat je kunt doen, is een beetje bescheidenheid tonen en haar niet dwingen te kiezen tussen wat haar hier rest en een nieuw leven bij jou aan de andere kant van de wereld. Na alles wat er is gebeurd, zou je je moeten schamen voor je egoïsme en het weinige dat je hebt geleerd.'

Hij fronst en blijft de hond aaien, die in slaap valt.

'Ik wil haar niet alleen laten.'

'Kom op, zeg, nonsens. Jij wilt zelf niet alleen zijn. Om haar geef je niet.'

'Dat is niet waar.'

'Natuurlijk is het waar. Als je niet wilt dat zij alleen is, als je haar bij je wilt hebben, pak dan je koffer, stop al je pyjama's erin en kom hier wonen, bij haar.'

Nu kijkt hij me wel aan.

'Jij bent gek, meisje.'

Daar gaan we weer.

'Vast, en jij bent een schurk. Je geeft evenveel om je dochter als ik om … Hans.'

Dat was geen gelukkige vergelijking, maar hij hoort het aan met een frons waar ik al snel de naam Hans in lees, en ik begrijp hoe mijn opmerking moet hebben geklonken. En dat staat me niet aan.

'Zo, zo … Dus we hebben trouwplannen met de piloot.'

Hij ontsnapt. Opa probeert te ontsnappen aan iets vervelends en heeft een gaatje ontdekt toen hij hoorde hoe ik over de man denk die alle papieren heeft om vooral niet mijn man te worden. Maar daar komt niets van in.

'Je moet terugkomen, opa. En dat weet je. En als je het niet weet, zeg ik het je, zodat je niet kunt beweren dat niemand het je heeft verteld. Je hebt twintig jaar van je dochter verloren en nu kun je de paar die je nog resten met haar doorbrengen. Hier, in je eigen huis, bij je eigen spullen. Kun je je voorstellen hoe gelukkig je haar zou maken? Of ben je vergeten hoe jij haar leven hebt veranderd?'

Hij zegt niets. Nee, hij praat niet.

'Nee, natuurlijk niet. Daar heb je niet bij stilgestaan, omdat jij je de afgelopen twintig jaar niet hebt uitgesloofd voor je moeder. En omdat jij niet verlegen zit om de bevestiging dat iemand voor je instaat. En dat je ertoe doet. Wat maakt jou dat uit.'

Als hij spreekt, doet hij dat zonder me aan te kijken. Ik kan zijn ogen niet zien en ik weet niet waarom.

'Je kunt je leven niet zomaar opzijzetten, meisje. Alsof het niets is.'

Ik schiet uit mijn slof. Ik kan het niet voorkomen.

'Welk leven? Je bent vijfentachtig, opa. Jij hebt je leven al gehad. Het ligt achter je. De enige die hier recht heeft op een leven, is tante Martina. Jij hebt alleen nog maar wat je rest. En wat je rest is je familie, met name je dochter. Zie je dat dan niet?'

Hij vertrekt zijn gezicht als een kind. Hij houdt niet van de waarheid.

'Of denk je soms dat je nóg eens tachtig jaar leeft?'

Hij voelt aan zijn zij en sluit zijn ogen. Theater. Ditmaal is het louter theater.

'Tante Martina heeft je hier nodig, opa.'

Hij opent één oog en kijkt me aan. Zoals gezegd, theater.

'Zie maar wat je doet. Maar ik zal je één ding zeggen.'

Hij opent het andere ook en zucht.

'Alweer?'

'Ja, alweer. Als je weggaat en haar achterlaat, zal ze jou vergeven en begrijpen, omdat ze haar hele leven al vergeeft. Dat hebben jullie haar wel geleerd. Maar ik niet.

Tot zover kan ik je begrijpen, en als het je lukt om ooit nog eens om vergeving te vragen, kan ik je vergeven, want sinds vanmiddag weet ik meer dan ooit. Maar als je niet terugkeert, als je haar laat stikken, kom me dan niet opzoeken, want dan doe ik je wat aan. Echt waar.'

Nu kijkt hij me heel serieus aan. In de muziektent lachen tante Martina en Lucas met elkaar en in een hoekje van het raam verschijnt een stukje maan.

'Ik zal het overwegen,' mort hij.

'Goed zo.'

Hij buigt zijn hoofd en kijkt naar het stukje maan. Dan tuit hij zijn lippen.

'Praat je tegen iedereen zo, meisje?'

Ik krijg de tijd niet om te glimlachen.

'Ook tegen je apen?'

Ai. Met Hans schoot opa mis, maar hij is een vlugge leerling en nu heeft hij de roos geraakt, al beseft hij het nog niet. Zijn vraag confronteert me met mijn eigen dringende probleem, dat me morgen weer staat te wachten. En dat nu al door mijn hoofd speelt.

'Zullen we mijn chimpansees met rust laten?'

Hij steekt zijn handen in de lucht en kijkt verschrikt.

'Goed, goed. Ik heb niets gezegd.'

Maar hij heeft het wel gezegd en ineens schiet me te binnen dat ik vanavond hier ben om een weddenschap in te lossen. En dat doe ik liever nu dan later, want straks is het te laat, en ik haat het om bij iemand in het krijt te staan. Vraag hem om hulp. Zo moeilijk is dat niet, heeft Lucas meerdere keren tegen me gezegd bij het afruimen van de tafel. Nee, hij vindt het misschien niet moeilijk. Ik zie er als een berg tegen op. Ik hou er niet van. Ik heb er een gruwelijke hekel aan.

Dan klinkt er luide muziek vanuit de muziektent, die

de stilte aan flarden scheurt en opa laat schrikken. Primavera spitst haar oren en blaft, maar laat zich dan weer zakken op het warme dekbed, terwijl de muziek nog speelt in de tuin en haar eigen geluid test.

'Wat is dat in vredesnaam?' vraagt opa vol afgrijzen.

'Wat kan het zijn? De muziek voor het stuk van Lucas.'

Hij kijkt me aan alsof ik hem zojuist een fles whisky heb afgepakt.

'Dat weet ik wel, meisje. Maar wie zingt het?'

'Het is "Hallelujah" van Rufus Wainwright,' vertel ik, terwijl de tuin zich vult met muziek en opa kijkt alsof hij aan de andere kant van het glas een spook ziet. 'Het is een Amerikaanse jongen die ...'

'Dat weet ik! Dat weet ik!' bijt hij me toe. 'Die dronken flikker die liedjes covert zoals zangers van een hoempa-paband. Jakkes.'

Zijn plotseling slechte humeur verrast me. En zijn taalgebruik ook. Ik probeer niet te lachen.

'Gaat Lucas hierop dansen?'

'Ja, opa.'

Hij gaat wat rechter zitten en vertrekt zijn gezicht.

'Verdraaide nichtenbende,' scheldt hij. 'Ik zou mijn oordopjes uit het vliegtuig in moeten doen.'

'Geen flauwekul,' bijt ik hem toe. Hij heeft ook zijn hoekjes waar ze niet in mogen wroeten. 'Rufus is zo slecht nog niet.'

Hij kijkt me aan met de ogen van een demente bejaarde en drukt zijn tanden op elkaar.

'Ja, het is vast ideaal om gorilla's mee te verdoven. Die gaan knock-out na de tweede noot.'

Plotseling stopt de muziek en de stilte daalt zwaar op ons neer. Dan keert de tijd terug en wat er nog gezegd moet worden. Door mij.

'Daar wilde ik je over spreken, opa.'

Hij legt een hand op zijn borst als een matige acteur.

'Waarover? Over het mietje?'

'Nee.'

'Ah.'

Meer stilte. Het begin is lastig. Ik weet niet waar ik zal beginnen.

'Het zit zo …'

Hij legt zijn hand op het dekbed en strijkt het geconcentreerd glad, wachtend.

'Hè, verdomme … dit is lastig.'

Hij kijkt op.

'Hebben ze jouw mond weleens met zeep gewassen, meisje?'

Ik begrijp hem niet.

'Soms praat je als een uitsmijter die veel te wensen overlaat …'

Ik luister niet. Ik ga liever verder.

'Ik zit met een probleem, opa. Ik heb een … goed, Lucas heeft me aangeraden om … om … de stichting kan niet langer …'

Hij strekt zijn vingers en bekijkt verveeld zijn nagels. Hij klakt met zijn tong.

'Deze oude man begint zich te vervelen, meisje.'

'Het gaat al.'

Hij kijkt op en werpt me een blik toe die het midden houdt tussen geduld en zelfgenoegzaamheid.

'Je hoeft je niet uit te sloven,' zegt hij. 'Ik weet het al.'

Ik weet niet wat hij op dit moment in mijn ogen ziet, maar ik begrijp dat hij het meent en dat hij mijn gedachten heeft gelezen.

'Jouw apen. Lucas heeft het me verteld.'

Daar is de woede weer. Woede tegen Lucas omdat ik

hier bij opa in de val zit, en woede tegen mezelf omdat ik me als een idioot heb gedragen en was vergeten dat het er in deze familie altijd zo aan toegaat, achter je rug om, zonder je iets te vragen. Ik ben laaiend en de aanraking van opa's hand kalmeert me meteen, met een schok van warmte die ik niet had verwacht. Ik stel me Lucas voor die glimlacht in de tuin, terwijl hij weet dat ik hier ben, en ik begrijp dat hij alleen het pad voor me wilde effenen, dat er geen kwaad in schuilde. Ik haal diep adem.

'Ik heb besloten door te zetten, opa.'

Zijn hand sluit zich een beetje om de mijne, in een poging die te ontspannen.

'Doorzetten? Hoe dan?'

'Doorzetten. Ik alleen. Ik ga mijn chimpansees niet verdelen alsof ze me niets doen, alsof al die jaren werk voor niets zijn geweest. Ik ga vechten.'

'Dat lijkt me een goed idee.'

Daar ben ik niet zo zeker van. Ik verzin dit ter plekke, en alles komt er ondoordacht uit, zonder nadenken. Ik laat me meeslepen.

'En wat had je bedacht?' vraagt hij geïnteresseerd.

'Een leven beginnen,' flap ik eruit. 'Heb ik een andere keuze?'

'Ja. En wat nog meer?'

'De stichting ergens anders onderbrengen.'

'Aha.'

'Ik heb niet veel nodig. Ik heb het team, de sponsors en de vrijwilligers. Ik heb alleen geen terrein, dat is het duurste. En het startkapitaal. Je weet wel, voor het bouwen van de verblijven, de verhuizing ... dat allemaal.'

Een nieuwe uithaal van muziek schudt ons door elkaar en breekt mijn verhaal in tweeën. Opa houdt zijn handen voor zijn oren tot het weer stil wordt en ik hoor

Lucas iets roepen naar tante Martina, iets wat ik van hieruit niet kan verstaan.

'Ik vroeg me af of ik het misschien hier kon bouwen.'

Hij verroert zich niet. Hij knikt langzaam.

'Aha.'

'En, goed … ik wilde weten wat jij daarvan vindt.'

Hij strijkt het dekbed weer glad, maar blijft me ondertussen aankijken.

'Dat is een … gewaagd plan.'

'Gewaagd?'

'Vind je niet?'

'Nee.'

'Ah.'

Gewaagd betekent niet goed. Niet goed betekent nee.

'Dus je vindt het een slecht idee.'

'Dat heb ik niet gezegd.'

'Maar je hebt ook niet gezegd dat je het een goed idee vindt.'

'Nee, dat heb ik ook niet gezegd.'

'Nou dan.'

Hij buigt zich over het tafeltje en pakt het glas water. Hij neemt een slok en zet het neer met een zucht.

'Maakt het je echt uit wat ik denk?' vraagt hij ineens, en hij kijkt me strak aan.

'Ja, natuurlijk.'

'Waarom?'

'Nou … om te beginnen is dit jouw huis en jouw grond.'

'Aha.'

Hij maakt me nerveus met zijn 'aha'.

'Weet je niets anders te zeggen dan "aha"?'

Geen krimp.

'Eens kijken of ik het begrijp. Jij wilt een stel apen en

hippiedierenartsen hier laten wonen, en volgens jouw plannen sta ik je de grond af en geef ik je een smak geld om alles in gang te zetten. Klopt dat?'

'Ja, daar komt het op neer.'

Hij knikt opnieuw en toont me zijn professionele glimlach, als een schooldirecteur.

'En je geeft om mijn mening omdat ik de eigenaar ben van het huis en het geld, correct?'

'Ja.'

'Dan denk ik dat mijn mening je niet echt interesseert.'

'O, nee?'

Hij schudt zijn hoofd.

'Nee. Jij wilt mijn toestemming. En mijn hulp.'

'Zo kun je het ook noemen.'

'Als je mijn toestemming en mijn hulp wilt, zou ik het op prijs stellen als je daarom vraagt.'

Het bevalt me niet. Zijn toon en zijn blik bevallen me niet.

'Dat doe ik ook.'

'Dat is niet waar.'

'Wat wil je dan? Dat ik op mijn knieën ga zitten en je zeg dat ik wanhopig ben? Dat ik huil en me aan je voeten werp?'

'Nee.'

'Nee?'

'Nee. Ik wil alleen dat je het vraagt.'

'Waarom?'

'Omdat dat goed voor je is. En omdat je moet leren dat vragen niet per se inhoudt dat je zwak bent, of afhankelijk. Je hebt alleen hulp nodig. En die hulp moet van buiten komen, van iemand die ja of nee zegt. En als die iemand nee zegt, is dat niet per se omdat hij niet van je houdt, maar om duizend-en-een redenen die niets met jou te maken hebben.'

'Ik begrijp je niet, opa.'

Hij moet lachen.

'Je begrijpt me niet omdat je te trots bent, en je trots vertroebelt je hersenpan, meisje. Bovendien heb je er geen zin in.'

Ik wist wel dat het niet zou lukken. Dit kon niet lukken. Niet met hem. Maar het is geen slecht idee. Nee, dat is het niet.

'Goed, opa. En hoe moet ik je dan om hulp vragen? Zingend? Dansend? In een vreemde taal? Engels, Frans, Duits …'

'Het is heel eenvoudig.'

'O, ja?'

'Ja. Je hoeft het alleen maar te vragen.'

'Juist.'

'Nou, dan niet,' zegt hij bedaard. 'Op dit moment heb ik geen antwoord omdat er geen vraag is. Als je de manier hebt gevonden, laat het me dan weten. Dan zien we wel verder.'

Opa kan de pot op. En het slechte humeur van opa kan de pot op en zijn zogenaamde wijze lessen kunnen de pot op. Hij, die op zijn vijfentachtigste nog niet heeft geleerd om vergeving te vragen voor alles wat hij heeft gedaan en gelaten, gaat mij de les lezen. Wat een verrassing, meneer. Stapelzot. Met open ogen erin getuind. Zoek de manier, zegt hij.

'En als ik die niet vind?'

Hij glimlacht.

'Dan zul je wel niet genoeg om je apen geven.'

Ik bal mijn vuisten. Meer tijd is me niet gegund.

'Alles klaar!'

Het is de stem van tante Martina. Ze staat bij de deur. Ze straalt en glimlacht als een verliefde vrouw. Het enthousiasme in haar ogen pint me vast op opa's bed, want ik weet dat ze morgen sterft wanneer ze ons, de een na de ander, ziet vertrekken. Waar ze nu van geniet, komt haar morgen duur te staan. Ineens krijg ik zin om te blijven, hier bij haar, en het gevecht op te geven. Ik ben uitgeput, ik voel me moe en ik weet dat zij me zal verzorgen en dat we samen goed zullen kunnen uitrusten.

'Hé!' zegt ze. 'Komen jullie?'

'Natuurlijk, meisje,' antwoordt opa, en hij zet zijn voeten op de vloer, hijgend als een oude man. Dan steunt hij met één hand op het matras en probeert overeind te komen, zonder succes.

Ik ga staan.

'Zal ik helpen?'

Hij draait zich langzaam om en toont me een spottend lachje, dat zo eindigt: 'Als ik je hulp nodig heb, vraag ik dat wel, kleintje. Maak je geen zorgen.'

Ik draai me om en loop zonder iets te zeggen de tuin in. Lucas zit al klaar op de verhoging van de muziektent, in het midden, en de lampen scheppen heldere vlakken tussen de houten pilaren. Boven de ijzeren koepel staat de maan aan de hemel. Ik hoor tante Martina en opa op het gras lopen en van achteren naderen.

'Daar gaan we,' fluistert tante Martina in mijn oor, en ze slaat een arm om me heen.

'Ja, daar gaan we.'

Dan lopen we met zijn drieën over het natte gras naar de ontmoeting met Lucas, ieder van ons gevangen in zijn eigen schaduw. We betreden de muziektent en gaan op de balustrade zitten, tegenover de stereo en de luidsprekers, die wachten op een schakelaar, op een opdracht.

Lucas lijkt te slapen op de houten vloer, vol concentratie en ineengedoken, met niets anders bezig dan deze rust en de beweging die dadelijk uit hem ontstaat. De vleermuizen buitelen door de duisternis en voeden zich met zaken die wij niet zien, maar die ook leven en om ons heen vliegen.

Opa installeert zich naast me en leunt met zijn schouder tegen een pilaar. Bij de stereo wacht tante Martina op een teken van Lucas. Ze kijkt naar hem.

Een uil vliegt onder de ijzeren hemel van de muziektent door als een koude windvlaag, en verdwijnt weer in het donker.

Dan komt het teken.

Lucas' hand gaat omhoog.

Tante Martina kijkt naar de stereo.

En het is gedaan met de stilte.

Lucas danst.

Gisteren danste Lucas en vandaag was een triest ontbijt, want het is niet meer gisteren, we zijn niet meer samen, bijeen, en iets zegt me dat dit de laatste keer was. Het afscheid, het daadwerkelijke afscheid, was gisteren, en ik heb slecht geslapen, zoals altijd wanneer het afscheid zich aandient.

Dit is moeilijk, altijd maar blijven, al doe ik dat al jarenlang, getraind in afscheid nemen, om telkens weer afstand te nemen van wat ze van me meenemen als ze weer naar hun eigen leven gaan en mij achterlaten in de lege huls van mijn eigen leven.

Papa gaat als eerste. Hij heeft zijn reiskleding aan, onberispelijk en perfect, en een lekker geurtje op. Hij deelde grapjes uit en een anekdote, waar we hem dankbaar voor waren maar waar ik maar moeilijk om kon lachen. Lachen, en eigenlijk alles, gaat me deze morgen slecht af. Verdriet, dat heb ik ruimschoots. En zin om de tijd stil te zetten, zodat niemand zich beweegt en we hier altijd met zijn vieren blijven. En zin om hun te vragen te blijven, al is het maar voor een paar dagen, een paar uren. Dat ze me tijd geven om een aanloopje te nemen om het lege huis te trotseren. Ik wil tijd en ik durf het niet te vragen, omdat ik me slecht voel, leeg. Ik wil hen hebben om mijn leven een beetje te vullen, en om het te veranderen. En ik wil voelen, al is het maar voor één keer, dat iemand blijft om mij. Om mij.

Ik heb papa in de keuken achtergelaten, hij belt een taxi, die hem vliegensvlug naar zijn andere oever brengt, misschien voor de laatste keer. Het gras is nat en voor me schittert het dak van de muziektent in de ochtendzon. Er staan nog spullen van gisteravond. De stereo, de kabels en de luidsprekers wachten tot iemand ze naar het souterrain brengt. Misschien helpt Lucas me voor zijn vertrek of misschien is dat niet nodig. Ik doe het vanmiddag wel.

Van hieruit zie ik Verónica en Lucas bij de vijver zitten, op een van de stenen bankjes bij de rotonde. Ze praten met elkaar, maar ik hoor ze niet. Als ik hen zo zie, vind ik het jammer dat ik hun moeder niet ben, en ik vind het jammer dat we zo naar elkaar toe gegroeid zijn uit noodzaak. Ik weet zeker dat Fernando en Emma trots zouden zijn op die twee, en ik voel me schuldig omdat ik hen beschouw als mijn eigen kinderen, want soms ben ik blij dat ze alleen mij nog hebben, zodat ik mezelf kon veranderen in een heimelijke moeder, altijd afhankelijk. Altijd tot hun dienst.

Ze zullen terugkeren. Vroeg of laat, dat weet ik niet, maar ze zullen terugkeren en we zullen verbonden blijven door hun regelmatige visites, hun levens die nog in het verschiet liggen. Die zekerheid brengt me weer bij papa en een andere zekerheid, die meer pijn doet naarmate het moment nadert waarop ik afscheid van hem moet nemen en hem zie vertrekken naar zijn leven dat ik nooit heb gezien. Misschien zie ik hem niet meer terug.

Nu wordt de ochtendstilte verbroken door het geluid van een motor, Lucas en Verónica kijken over hun schouder naar de weg. Het is de taxi, die leeg aankomt en vol papa vertrekt. Ik durf niet te kijken, echt niet. Ik durf het niet omdat dit niet de juiste manier is om afscheid van elkaar te nemen, omdat ik hem nog zoveel te zeggen heb. Ik heb hem niet gezegd dat ik een hele stapel foto's heb van onze vakantie in Porto, die mama bewaarde en die ik samen met hem zou willen bekijken, en dat hij er eentje uit mag zoeken om mee te nemen, dat de wortels van de kastanjebomen door de weg heen breken en dat de zee elk jaar een reep strand opeet. Ik heb hem niet gezegd dat ik herinneringen heb waarvan ik niet weet of ze echt zijn of verzonnen, we hebben geen tijd gehad om te praten over het verleden, toen alles nog goed was en het altijd goed leek te blijven, toen hij zijn handen in de grond stak en ik zijn armen besmeurde om hem aan het lachen te maken achter mama's rug om. We hebben geen tijd gehad, nee. En nu is het te laat, want de motor rijdt al tussen de kastanjebomen door met een laatste versnelling en verschijnt op de rotonde als een slecht bericht dat we, zoals zo vaak, proberen het hoofd te bieden, en dat zo goed mogelijk.

Het open portier van de taxi. De lopende motor en de drie op een rij voor papa in een perfecte triangel, die straks uiteenvalt tot een simpele lijn. De motor ronkt terwijl papa onbelangrijke dingen zegt, die aan mij voorbijgaan omdat ik zo bezig ben met slikken dat ik niets hoor. Hij maakt grapjes, die vandaag niet overkomen, en glimlacht, glimlacht zoals hij spreekt, om de leegte te vullen.

'Goed,' zegt hij met een blik op zijn horloge. 'Ik moest maar eens gaan.'

Ik slik een prop weg. Niemand zegt iets. Papa en Lucas omhelzen elkaar zo stevig dat Verónica met haar ogen knippert en glimlacht. Na enkele seconden maakt papa zich los.

'Het stuk is fantastisch, jongen. Het beste,' zegt hij tegen Lucas, met zijn handen op Lucas' schouders.

Lucas glimlacht.

'Maar kies andere muziek. Die Rufus heeft dit niet verdiend.'

Meer speeksel. Weer slikken. Lucas lacht en papa ook. Dan geeft hij hem een kus op zijn wang en een tikje op de andere.

Verónica. Haar beurt.

Papa neemt de handen van zijn kleindochter in de zijne en geeft haar twee zoenen. Ze laat zich kussen, maar zegt niets.

'Heb je een manier gevonden?' vraagt hij ernstig.

Verónica kijkt naar de grond.

'Nog niet.'

Hij laat haar niet los, papa laat haar niet los en het schijnt haar niet te deren.

'Gaat je dat nog lukken?'

Ze kijken elkaar aan. Zij uitdagend en hij geduldig. Allebei met genegenheid. Ik kan het bijna niet verdragen.

'Ik zal op zoek gaan.'

Vervolgens brengt papa Verónica's handen naar zijn mond en kust ze. Ze knippert met haar ogen en kromt haar rug, waarmee ze haar enorme dosis kwetsbaarheid niet kan verhullen. Mijn knokkels worden wit.

'Flinke meid.'

Nu ben ik, en het eerste is het gewicht van zijn hand op mijn schouder. Zijn aanraking. Mijn lippen vertalen het naar een glimlach waarmee ik rust hoop uit te stralen.

'Kleintje,' zegt hij, en ik hoop maar dat ik nog kan praten als het moet. Ik voel zijn andere hand op mijn rug, die me naar zich toe trekt. Ik zeg 'Papa', maar hij hoort me niet want mijn mond zit tegen zijn borst gedrukt, en ik zie niets meer want ik kan niet sneller slikken, en ik krijg geen lucht, maar dat geeft niet: ik ben thuis, dit is mijn huis, deze warmte komt van mijn vader en dit is alles wat ik krijg, want we zijn te laat gekomen en de tijd is op. Ik heb zijn handen op mijn rug en ik heb geen kracht meer om het zonder deze omhelzing te doen, ik weet niet hoe, papa, vertel het me, leg uit. Ik weet niet hoe ik afscheid moet nemen zonder stem.

Zo blijven we even staan, tot hij zich losmaakt en me een laatste kus geeft voordat hij zich omdraait en naar de taxi loopt.

En dan gebeurt er iets opmerkelijks. Vanuit het huis komt Primavera aangerend. Alleen en vastbesloten komt ze aanzetten, passeert ze Lucas' benen en posteert ze zich naast papa, die met zijn rug naar ons toe staat, al vertrekt. Primavera buigt haar kopje en omdat ze zijn aandacht niet krijgt, tilt ze een pootje op en krabt ze voorzichtig aan papa's been, eenmaal, tweemaal, tot hij stopt, zijn rug recht, en zich omdraait, en haar aankijkt. Primavera geeft hem een pootje.

En daar stopt de tijd.

Papa bukt zich en zo, op zijn hurken, steekt hij glimlachend zijn hand uit en drukt hij een kusje op haar kop.

'U bent zeer schoon, jongedame,' zegt hij met een dun stemmetje. 'Ik hoop dat u me op een dag de eer verleent om met u te mogen dansen.'

Ik slik, maar de zandloper is leeg.

Er is zout dat vanbuiten komt. Zout en water. En verdriet.

Zoveel …

IV

DE ANDERE OEVERS

'Zo. We zijn er bijna.'

Ze heet Graciela en heeft mooie handen. Ze zegt dat ze me al eens eerder heeft geschminkt en ik geloof haar, hoewel ik me haar niet herinner.

'In Miami,' zei ze. 'In 2001. Een gala voor Televisa.'

Ik glimlach naar haar, maar zeg niets. Ze poedert mijn voorhoofd en wangen en masseert vervolgens mijn slapen en mijn hoofdhuid.

'Is het live?' vraagt ze met een prachtige glimlach in de spiegel. Ik begrijp haar niet. Het zal de jetlag zijn. 'Het gala,' gaat ze verder. 'Zingt u live of is het playback?'

Ah, het gala.

'Nee, het is niet live.'

Als Graciela wist hoeveel zangers al jaren niet meer live zingen, had ze het niet eens gevraagd.

'Natuurlijk.'

Natuurlijk, zegt ze. Volgens mij getuigt haar 'natuurlijk' niet van veel besef. Het is veel meer een verhuld 'natuurlijk, niemand kan op zijn vijfentachtigste nog live zingen'. Natuurlijk.

Ik moet lachen en zij glimlacht, maar ik weet niet waar mijn lach vandaan komt. Ik heb liever dat ze me niet hoort.

Rechts van me, op de vloer, staat een mand. Daarin slaapt een van die kleine, harige rothondjes die blaffen als gekken en bij wie de bazinnen – want het zijn doorgaans bazinnen – graag strikjes in hun vacht doen. Op de spiegel, net boven de tafel, zit een foto zonder lijst vastgeplakt met tape. Het is een close-up van een meisje dat aan een bar zit: een jong meisje, glimlachend, met een glas bier in haar hand. Ze kijkt naar het fototoestel en proost met opgeheven glas.

'Dat is mijn dochter.'

'Ze is knap.'

Graciela glimlacht.

'Ja, ze was heel knap.'

Was, zegt ze. Ik herken haar zuinige lach. Ik wil er liever niet op doorgaan, maar zij zit blijkbaar om een praatje verlegen en de toneelmeester is me nog niet komen opzoeken om me naar het toneel te brengen.

'Clara, ze heette Clara.'

De hond tilt automatisch zijn kop op en laat me schrikken door een paar keer te blaffen. Graciela schrikt niet.

'Max was van haar. Toen Clara overleed, kreeg ik hem. Ik heb hem geërfd,' voegt ze eraan toe met een gebaar van verdriet en gelatenheid. 'Dieren zijn eigenlijk ongelofelijk, vindt u niet?'

Ik weet niet wat ik moet zeggen, maar ik weet wel dat alles me ineens zwaar valt. Het bevalt me niet. Ik wil hier niet zijn. Er klopt iets niet, maar ik ben te moe om uit te vissen wat. Graciela vat mijn stilte op als interesse.

'Sinds Clara's dood slaapt Max altijd op haar bed. Aan het voeteneind. Volgens mij wacht hij nog steeds op haar.'

Er klinken voetstappen aan de andere kant van de deur. De voetstappen komen dichterbij, blijven stilstaan, en vervolgens hoor ik een mobieltje overgaan. Iemand neemt op. De voetstappen verwijderen zich.

'Het merkwaardige is dat ik ook weleens in haar bed slaap. Dan slapen Max en ik er samen. Dan liggen we op haar te wachten.'

Bekentenissen. Dit zijn de minder mooie kanten van

mijn werk: het testen van kleding, schmink, geluid, ver-lichting … het zijn momenten waarop iemand niet ano-niem is maar ook geen ster en waarop alles kan. Momen-ten waarop je niets anders kunt doen dan praten over wat je hebt of over wat je hebt verloren. Momenten waarop wij precies zo zijn als alle anderen.

'Ik ben moe,' hoor ik mezelf zeggen. Een tiende van een seconde weet ik niet zeker of ik het heb gezegd of slechts heb gedacht, maar de uitdrukking op Graciela's gezicht spreekt boekdelen.

'Pardon, ik wilde u niet storen.'

Ai. Het is niet wat ze zegt, het zijn haar ogen. Het zijn ogen die zich verontschuldigen voor het hebben en to-nen van verdriet. Mijn maag draait zich om.

'Nee, u stoort me niet. Maakt u zich geen zorgen.'

Ze buigt een poosje haar hoofd.

'Ik ben nu eenmaal …'

Uitgeput, zou ik zeggen, maar dat is niet de hele waar-heid. Dan zou ik het moeten uitleggen en daar heb ik geen zin in. Bedroefd, zou ik ook zeggen, maar daarvoor geldt hetzelfde. Ik zou woorden kiezen die me slechts ten dele omschrijven.

'Somber. Ik ben somber.'

Graciela kijkt op. Ik zie in haar blik een spoortje van iets wat me bekend voorkomt maar wat ik niet onder woorden kan brengen. Het zijn de ogen van een vrouw die niet oordeelt, van iemand die leeft met iets wat haar heeft doen stranden in de tijd en wat haar completer maakt. Ze zegt niets.

'En ik heb me erg vergist, Graciela.'

Ze knippert met haar ogen en leunt op de tafel. Ver-volgens pakt ze een papieren zakdoekje en wrijft de foto op.

'Vergissen is menselijk, meneer Hoffman,' zegt ze, en ze werpt het zakdoekje in de prullenbak.

Ja, vergissen is menselijk. Dat brengt ons echter niet dichter bij elkaar. Dat zou wel moeten, maar zo is het niet.

'Ik heb ook een kind verloren.'

Ze glimlacht en kijkt me aan via de spiegel.

'Dat weet ik. Er wordt veel over geroddeld.'

Ja, ze roddelen wat af. En ik heb het ook honderden keren moeten horen in honderden interviews. Ik moest eraan wennen om het te horen alsof het deel uitmaakte van mijn werk, alsof míj niets was overkomen. Maar er is me wel iets overkomen.

'In elk geval hebt u nog familie,' zegt ze.

'Ja.'

'Ik niet.'

Ze klinkt niet verbitterd. Ze duidt alleen op de feiten, op wat er is. Op wat ze zelf niet heeft.

'Het spijt me.'

Ze houdt haar hoofd schuin en legt een hand op mijn schouder. In dit eenvoudige, welgemeende gebaar lees ik ineens een maalstroom aan dingen, die me tegen de versleten leren stoel aan drukt en me, nu wel, de adem beneemt. Ik lees dat mijn 'het spijt me' niet aankomt bij de oren die het moeten horen, dat mijn aanwezigheid hier, in deze kleedkamer en in deze stad, na vijftien uur vliegen, niet deugt, niet in orde is. Ik lees dat ik de kleine lettertjes van de afgelopen uren op de andere oever slecht heb begrepen, en dat op deze oever slechts een echo is, een echo die me mijn stem teruggeeft, die alleen maar over mij spreekt.

Ver weg. Voor het eerst sinds mijn vertrek voel ik me ver weg, want er is geen enkele reden om hier te zijn, of het zullen de gewoonte en mijn lusteloosheid zijn. Ik hoor hier niet thuis, ik ben teruggekeerd naar nergens. Nee. Mijn 'het spijt me' is hier niet op zijn plaats, en ik evenmin. Dat knaagt aan me, zoals de jaren en de lange afzondering ineens aan me knagen.

'Ik ben ver van huis, Graciela. Al heel lang.'

Voordat ze iets kan zeggen klinkt er een belletje, dat ons beiden verrast. Graciela kijkt me aan en het duurt even voordat ze doorkrijgt dat de beltoon van mij afkomstig is, uit de binnenzak van mijn colbert. Als ik het mobieltje uit mijn binnenzak haal en op de toets druk om het bericht te lezen, zie ik dat Graciela het tafeltje opruimt waar haar smeerseltjes op staan, al valt er niets op te ruimen. Het bericht is van Verónica. Bij het lezen van haar naam slaat mijn hart over en krijg ik een waas voor mijn ogen. Ik reageer als een oude sufferd op zijn meest geliefde kleinkind. Dat zie ik aan Graciela als ik zeg: 'Het is van Verónica.'

Ik sta er niet eens bij stil dat zij niet weet wie Verónica is. Mijn kleinkind, wil ik bijna zeggen. Aan de andere kant.

Misschien heeft ze het al geraden door mijn reactie. Aan haar glimlach te zien, zou ik zweren van wel.

Ik druk nogmaals op de knop om het bericht te lezen en ineens verschijnt het hoofdmenu op het scherm, met het logo van die verrekte telefoonmaatschappij. Ik slik en merk dat ik klamme handen heb.

'Ik begrijp niet waarom ze geen rekening houden met de ouderen bij het ontwerpen van deze ingewikkelde prullen,' hoor ik mezelf mopperen terwijl ik het bericht probeer terug te vinden, dat toch niet zomaar in rook kan zijn opgegaan, zonder dat ik het heb gelezen. Nee. Het moet nog ergens zijn. Aha, daar is het al. Verónica. Bericht lezen? Ja.

Ik lees.

Maar één woord.

Alsjeblieft.

Ik slik. Ik adem in. Ik adem uit. Ik test mijn stem. Eerst de lage tonen, dan de hoge. Mijn luchtpijp zet uit als een tentakel en mijn longen blazen en zuigen lucht. Ik slik nogmaals en kijk om me heen.

Graciela kijkt naar me in de spiegel, onbeweeglijk. Ik zie mezelf zitten met het mobieltje in de hand en met ogen vol zaken waar zij niet naar vraagt.

'Het is Verónica,' zeg ik opnieuw, maar deze keer werkt mijn stem niet mee. Hij klinkt min of meer als die van mij, maar hij komt er hortend en stotend uit. 'Alsjeblieft,' zegt mijn kleintje. Ik word helemaal slap in deze stoel omdat mijn kleindochter me heeft geschreven vanaf de andere oever om te proberen, om te roepen. Dit zijn emoties. Dat weet ik zeker, want als ik slik doet het pijn, en Graciela komt aanlopen met een papieren zakdoekje en begint mijn ogen te drogen met zoveel tederheid, zoveel liefde, dat ik door mijn tranen heen Martina meen te zien, en ik weet dat ze zich even ver en alleen voelt als ik.

Dan antwoord ik Verónica.

Daar klinken de eerste tonen van de piano en er verspreidt zich een elektrische lading over het toneel, die de vloer optilt naar de zwarte leegte die boven me hangt. Ik hoor de ademhaling van de honderden mensen die voor mij zijn gekomen en ik verbeeld me dat ze opstijgen in de dichte lucht van het theater, zich ermee vermengen, hun zuurstof afgeven. Ik heb één enkel licht gevraagd. Dat hangt recht boven me. Vandaag wil ik alleen in de schijnwerper staan, omringd door duisternis en muziek. Daar komt de zang.

De zang begint en ik maak me langzaam los van de grond, eerst één arm, dan de andere, links, rechts, strekken, gebalde vuisten. Hallelujah, zingt Rufus Wainwright achter de piano, en ik voel mijn hartslag in mijn kuiten en in mijn keel bij de eerste draai op de hak. Het is een lastige draai, op een manier die tegen de natuur in gaat, maar de draai is puur fysiek, kracht en tegenkracht, strekken en spannen, een dialoog van de spieren. Harmonie.

Hallelujah, herhaalt Rufus; het klinkt bijna als een jammerklacht.

Het licht volgt mijn sprongen vanuit de lucht. Soms, als ik dans, waan ik me een turner tijdens een wedstrijd, die gymt onder het toeziend oog van de jury en uitkomt voor een vlag. Ik stel me voor dat er een erepodium is, en een medaille, en dat ik volschiet bij het hijsen van de vlag terwijl het volkslied speelt. Totdat ik besef dat ik niet meedoe aan een wedstrijd, dat er geen land is. Dat er geen jury is. Dat er geen medaille is. Alleen het publiek en het applaus.

Andere keren denk ik dat ik dans zoals ik leef. Ik voel de muziek en loop erop, door spieren en pezen aan te sturen zoals je een machine aanstuurt, bestuderend, berekenend. Ik hoor de muziek, ik lees haar, ik begrijp haar en ik beweeg haar. Ik laat haar draaien.

Maar vandaag is het anders. Het is jouw muziek niet, heeft opa vanochtend tegen me gezegd voor hij wegreed en zich weer terugtrok op zijn oever. Ik wilde hem zeggen dat die dat nooit is, dat die nooit van mij is. De muziek begeleidt me alleen, geeft me de maat aan. Ik wilde hem nog wel meer vertellen, maar daar was geen tijd voor, en nu komt er een zachter gedeelte, intenser. Nu komen er series pirouettes. Het ingewikkelde gedeelte. Mijn favoriete stuk.

Ik draai om mijn as en alles keert om. Achter wordt voor en voor verdwijnt: het verleden duwt het heden opzij en de toekomst staat veraf, in het niets. Terwijl ik draai, klinkt in de duisternis de stem van tante Martina, en haar boodschap draait met me mee, overstemt de muziek en het 'Hallelujah', en leidt me af terwijl ik rondtol.

Kom terug om opnieuw te beginnen, Lucas. Om te leven. Ik zal op je wachten.

Dat is de stem die me nu omgeeft als een serpentine, me hiervandaan haalt, naar haar oever brengt, verstrikt raakt tussen mijn benen en me het donker in trekt.

En trekt.

Met de muziek komt ook mama's stem en haar laatste zin door de telefoon voordat het verkeer en papa's vermoeidheid haar opslokten in een wolk van vuur. Het is haar stem en die paar woorden die sindsdien boven me zweven. Haar stem.

Pas goed op je zus tot wij weer terug zijn, lieverd.

Dat is het enige wat ik nu hoor, anders niets. Mama's boodschap laat mijn bloed sneller stromen, waardoor ik mijn evenwicht vind op het podium. De vloer verdwijnt en maakt plaats voor wat ik nog geen twee dagen geleden heb geleerd over mijn familie, mijn mensen. En in dit licht dat van boven op me schijnt paraderen zaken die ik niet wist en die vanaf nu voor altijd bij me blijven, zoals mama's stem door de telefoon en papa's ruwe wang tegen de mijne. En zijn lach, zijn lach ook.

Nu komen de waarheden. Die van de familie Hoffman.

De eerste is opa, die de afgelopen twintig jaar als schipbreukeling op zijn oever doorbracht, die met oma een geheim deelde waar degenen die haar overleven wel nooit het fijne van zullen kennen. Opa's waarheid is die van een man van stavast, met een magnifieke stem en een hart dat is bekrast door een portie pech die zijn leven in tweeën deelde. Zijn waarheid kent hij zelf niet eens: ook al was er geen geheim, voor ons is hij de windhaan die ons de weg wijst. Ons noorden.

De tweede is Verónica, die tweeëntwintig jaar leefde met haar geheim over de ware toedracht van het ongeluk, en al die tijd zweeg om mij te beschermen, zegt zij. Ze zweeg om zichzelf de waarheid niet te horen uitspreken en het verdriet te ontlopen dat ze niet begrijpt en niet wil, zeg ik. Haar waarheid is haar breekbaarheid. Die ze nog altijd ontkent.

De derde is tante Martina, die jarenlang in oma's schaduw leefde, op een wonder wachtte en haar leven opgaf voor een vergissing. Tante Martina vergiste zich omdat ze niet van zichzelf hield. Haar geheim is dat ze sinds papa's dood zichzelf vergat. Ze raakte de weg kwijt en nu weet ze niet waar ze moet zoeken. Haar waarheid is dat ze niet ziet. Ze vaart in het donker en meent dat ze wees

is. Ze zorgt voor anderen om haar eigen leven te ontwijken en een toekomst zonder schuld bijeen te fantaseren.
Je moet je ontwikkelen, tante. Dát is de waarheid.

De vierde ben ik, Lucas Hoffman. Ik ben dertig en
sinds ik het toneel betrad, heb ik een geheim. Ja, ook ik.
Zoals de rest. Mijn waarheid is dat ik niet kan breken
zoals tante Martina dat van me vraagt, omdat ik allang
gebroken ben en heb geleerd gebroken te leven. De
waarheid is dat ik dans op alle podia ter wereld omdat
het alleen stil wordt wanneer ik dans, en alleen in stilte,
in mijn stilte, draai ik in de lucht zoals papa en mama
boven de afgrond. Dan ben ik bij hen, samen in een andere wereld, parallel aan de onze, wij met z'n drieën.
Verónica en tante Martina weten niet dat ik een leven
heb dat zij nooit zien. Het is een leven dat enkel bestaat
uit emotie, puur en compleet. Daar zijn papa, mama en
ik, we zweven in het luchtledige, tussen leven en dood,
en daar ontmoeten wij elkaar dagelijks, ingepakt door
muziek.

Zo gaat het altijd. Vanaf de eerste dag, vanaf de eerste
pirouette. Vandaag, nu, schalt Rufus over het toneel,
totdat het 'Hallelujah' dooft met de laatste akkoorden en
de stilte totaal wordt, het is zo stil dat ik op het podium
mensen op de eerste rijen hoor fluisteren en kuchen. Ik
bespeur ook andere dingen: mijn ademhaling tegen de
vloer, de warmte van het licht boven me, de tevreden-
heid van een goede uitvoering. En de eenzaamheid.

Ik moet even op adem komen en sta voor het publiek
alsof ik me in de witte woonkamer van oma bevind en
door het raam naar buiten staar. De stilte is zo volkomen
dat ik erin zou kunnen dansen, en de tijd staat stil in die
eerste seconden terwijl in de duisternis van de zaal een
bedeesd applaus opgaat, alsof het langzaam ontwaakt. Er

gaan meer handen meedoen, tot het applaus tegen het podium beukt als de oceaan op de kliffen; het overspoelt me en schept zijn eigen muziek, alsof Verónica me zojuist heeft gevraagd: zal ik het liedje nog eens draaien? Het publiek applaudisseert en ik kan weer ademen. Ik glimlach, uitgeput. En ik knik. Ja, Verónica, laat nog maar eens horen. Natuurlijk. Zing het voor me, en laat opa het ook zingen, hou me gezelschap, zodat ik jullie bij me voel, op deze oever die van mij is en mijn geheim is.

In mijn hoofd hoor ik opnieuw een piano, maar ditmaal is het de stem van opa die van zijn oever komt, en mijn stem zingt met hem mee, met tante Martina en met Verónica, tot we samen zingen. *I wish I had a river I could skate away on*, zingen we bij opa aan de piano. En ik begin weer te draaien, wel honderdmaal, want ik vertrouw hun stemmen volledig, omdat mijn hart weet dat het naar een plek gaat waar iemand erop wacht, waar iemand het wil zien komen.

Er klinkt vanavond nieuwe muziek. Er is ook een familie die haar best doet om te leven met haar waarheden en haar stiltes, met het verleden en met wat nooit had mogen gebeuren. Het applaus van het publiek weerkaatst in mijn binnenste naar de andere oevers van de familie Hoffman, omdat ik bij hen hoor en omdat wij leven. Ik hou mijn vingers gekruist terwijl ik een buiging maak, in de hoop dat tante Martina me toestaat flink in te storten, zodat we iets nieuws kunnen bouwen, nieuw voor haar en nieuw voor degenen die van haar houden.

Misschien is het nog niet te laat.

En misschien komen we niet verder dan een begin. Maar dat geeft niet, want het zal tenminste waar zijn.

Dat weet ik zeker.

Het gepiep van het mobieltje verstoort de rust, benadrukt die. Het is halfvier in de ochtend en hier ligt iedereen te slapen. De vorige avond heeft het geregend en het grind onder mijn voeten knarst terwijl ik om het hek heen loop naar het kantoortje en de twee gebouwen waar de apen slapen. Ik adem de buitenlucht diep in. Het gepiep heeft me verrast, niet zozeer het geluid zelf als wel de snelheid waarmee het kwam. Ik verwachtte het niet eerder dan morgenvroeg. Ik was niet voorbereid. Dat ben ik nog steeds niet.

Als ik langs het kantoortje loop zie ik licht branden, en ik neem een kijkje. Carmen zit achter haar bureau, omringd door stapels papieren en verlicht door het beeldscherm van de computer. Ik tik tegen het raam en ze kijkt op, geschrokken. Als ze ziet dat ik het ben, glimlacht ze. Ze ziet er moe uit en haar begroeting is niet bepaald enthousiast. Ze staat op en doet het raam open.

'Kun je niet slapen?'

Ze weet dat ik dienst heb. Dat heeft zij ook.

'Het lukt niet,' antwoord ik.

'Dat is jammer,' zegt ze bezorgd. 'Morgen hebben we drie groepen.'

Dat klopt. Morgen moeten er drie groepen worden rondgeleid, door mij, de eerste al om halftien.

'En wat doe jij hier dan nog?'

Ze haalt haar schouders op.

'Ik was aan het overwerken. Woensdag ga ik op vakantie en ik wilde alles geregeld hebben, zodat Silvia me niet te veel mist.'

Silvia is de andere kantoormedewerker van de stichting. Ze kunnen niet goed met elkaar overweg. In feite kan niemand goed met Silvia overweg, maar ze doet haar werk naar behoren en op het moment kunnen we het ons niet veroorloven nog iemand aan te nemen.

'Hoe was je weekend?' vraagt ze, terwijl ze weer achter haar bureau kruipt en een paar slokken water drinkt uit de fles die naast haar op de vloer staat.

Ik weet niet wat ik moet zeggen. Het weekend, zegt ze. Een weekend bestaat maar uit twee dagen en op dit moment heb ik het gevoel dat ik er een heel leven tussenuit ben geweest.

'Verónica.'

'Ja, goed. Een beetje intens, maar goed.'

Ze neust in haar papieren.

'Dat is het meestal met familie.'

Ik glimlach. Carmen kent mijn familie niet. Als ze dat wel deed, zou ze wel begrijpen wat ik bedoelde met intens.

'Nog nieuws?'

Ze kijkt op. Nu begrijpt ze de kern van de vraag wel. Het is een vraag die wij ons allemaal stellen sinds de zaken er slecht begonnen uit te zien, en we weten allemaal dat er een einde aan komt waartegen we ons niet kunnen wapenen. Ik informeer naar nieuwtjes en zij begrijpt dat ik vraag of de situatie de afgelopen uren nog is veranderd. Of er een wonder is gebeurd, een nieuwe deadline, iets, wat dan ook.

Ze schudt haar hoofd.

'Nee. Niets.'

Tja. Duidelijk.

'En de kinderen? Alles in orde?'

Onderling noemen we onze chimpansees kinderen, al zijn we ons ervan bewust dat het een beetje ongelukkig klinkt. De kinderen zijn de reden dat wij doorzetten. Voor de meesten van ons betekenen ze bijna alles.

'Ja. Mirta had een klein ongelukje met een van de zandzakken, maar het stelde niets voor. Ze verdraaide een vinger en het duurde even voordat we haar hadden. Je weet hoe ze is.'

Ze glimlacht. Ik ook.

'Ja, dat weet ik maar al te goed.'

We zwijgen en zij gaat weer aan het werk terwijl ik in de raamopening hang en het kantoortje in me opneem alsof ik hier al tijden niet ben geweest. De planken, de foto's van de kinderen aan de wanden, de posters, T-shirts, petjes en sleutelhangers voor de verkoop, de stapels folders. Dit is mijn thuis, bedenk ik ineens. Hier heb ik jaren doorgebracht; ik heb er al mijn tijd in gestoken, ervoor geleefd, ervoor gestreden. We hebben hier al veel energie in gestoken. Te veel om het hierbij te laten. Zo. Alsof het niets is.

'Het is niet eerlijk.'

Carmen laat haar vingers boven het toetsenbord hangen en kijkt me over het beeldscherm heen aan. Ze heeft wallen als twee ringen rond hun planeten. Ze vindt dat ik gelijk heb en ik weet dat zij dat vindt, maar erover klagen lost niets op. Ze probeert te glimlachen, maar dat lukt niet en ze kijkt weer naar het scherm. Ze is een vrouw van weinig woorden. Meer van cijfers dan van letters. Ik bedank haar in stilte, dan sluit ik het raam vanaf de buitenkant en ga terug naar de houten keet die dienstdoet als slaapvertrek.

Het licht in de kamer schijnt op de kleine veranda en de nylon ligstoel. Het is een schitterende nacht en overal klinken geluiden. Het is niet koud en de ligstoel kraakt een beetje onder mijn gewicht, maar hij verdraagt me, omdat hij gemaakt is om weerstand te bieden, zoals alles en iedereen hier. Boven me verlichten de sterren de hemel van de lente. Sommige knipperen.

Het gepiep van mijn mobieltje waarschuwt me nogmaals dat ik een ongelezen bericht heb, en hier, op deze veranda, bij het licht van de sterren, krijg ik een brok in mijn keel van de zenuwen. De snelheid waarmee opa antwoordt heeft me van mijn stuk gebracht, het is misschien niet eens een antwoord op mijn vraag. Misschien heeft zijn bericht het mijne gekruist. Misschien was het een vergissing. Mijn bericht, bedoel ik. Te sober. Te droog. Dat is wat er gebeurt als we te veel aan iets denken in plaats van het te doen. Of als we bang zijn dat iets niet goed gaat en we het zo forceren dat alles spaak loopt. Misschien heeft hij me niet begrepen. Misschien luidt zijn bericht wel 'Ik begrijp je niet, meisje', of 'Alsjeblieft, wat?' Of hij haalt naar me uit op zijn typische wijze en kan ik helemaal overnieuw beginnen. Die kans is ook aanwezig.

Het kan ook zijn dat hij wel een antwoord stuurt en dat het het antwoord is waar ik bang voor ben: 'Nee, meisje. Het spijt me.' Die kans acht ik het grootst. En ik heb er begrip voor. Ik zal kwaad worden en een paar dagen nodig hebben, maar ik zal er begrip voor hebben. En wie weet, misschien kunnen we er zelfs over praten. Misschien wil hij het me wel uitleggen. Hij heeft me er al op voorbereid voordat hij wegging: 'Als die iemand nee zegt, is dat niet per se omdat hij niet van je houdt, maar om duizend-en-een redenen die niets met jou te maken hebben.'

Maar deze ligstoel, deze geur en deze keet zijn alles wat ik heb, opa. Dit ben ik. Als jij nee zegt, dan zeg je dat tegen mij, tegen dat wat meer dan ook Verónica is. Dan zal ik op zoek moeten naar een ander leven. En voorlopig heb ik geen flauw idee waar ik dat zou moeten vinden. Als ik bij jou kom, is dat omdat ik alle andere deuren al heb geprobeerd, opa. Ik ben door de koudste nacht gelopen om op jouw raam te tikken, in de hoop dat je opendoet. Als je dat niet doet, bevries ik. En ik ben bang, verdomme.

Dan activeer ik het mobieltje en haal diep adem. Daar staat: *bericht lezen*. Ik sluit mijn ogen. En adem uit. Weg met de tegenslag, het slechte voorteken en de achterdocht. Zeg het me, opa. Zeg het me en laat me met rust.

Het bericht. Ik lees.

Laat de hippies hun haren knippen voor ze verhuizen.

Als ik me kon bewegen, zou ik op de grond vallen en naar het gras kruipen om het te kussen. Als ik kon huilen, zou ik huilen als een wolf en alle honden van de wereld wakker maken om ze te zeggen dat alles goed gaat, dat iemand een nieuw continent heeft gemaakt waar we naartoe kunnen emigreren, nu meteen. Als ik kon zien, zou ik opa's bericht nogmaals lezen om er zeker van te zijn dat het waar is en dat ik niet gek ben, want ineens hoor ik mezelf lachen en ik kan bijna niet geloven dat ik het ben. Ik lach op deze veranda met het mobieltje in mijn hand, terwijl ik loop te ijsberen en niet weet waar ik moet beginnen. Het is een gulle lach, die al mijn angst verdrijft. En ik blijf luidkeels lachen, tot ik Carmen in de deuropening van het kantoortje zie verschijnen, die me aankijkt met haar wallen en haar handen in haar zij, nog steeds bezorgd.

'Verónica,' zegt ze.

Ik kan geen woorden vinden. Alleen deze lach die van

de andere kant van de wereld komt en die zij nog niet kan delen.

'Verónica, is alles goed?'

Ja, Carmen. Ik voel me prima, wil ik zeggen. Maar nu niet, nog niet. Ik wil eerst nog een paar minuten doorgaan met me goed voelen en lachen met opa op zijn continent, alleen wij tweeën. Ik wil dat dit langer duurt en er helemaal in opgaan. Ja, Carmen, alles is goed omdat ik heb gevraagd en er niet minder van ben geworden, want al weet jij dat nog niet, ik kan vrijer en dieper ademhalen om deze opluchting, deze voorspoed in ontvangst te nemen.

Ja, Carmen. Het zal goed gaan daar, want daar is op slag dichtbij gekomen en wacht tot wij er komen wonen.

En het gaat goed omdat ik terugga, wij teruggaan, naar huis.

V

ZOVEEL TIJD ...

Een zonovergoten ochtend. Vanuit de keuken kan ik de hortensia's zien, die zo vol knoppen zitten dat ze doorbuigen en over het gazon hangen. Ik heb alle ramen open en mijn drie meisjes slapen aan mijn voeten. Ik heb goed geslapen, weinig, maar goed, en alles weegt minder: de afwezigheid van mama, die van de anderen, het leven dat me te wachten staat. Om zo te leren leven, tegen mezelf praten om de dag door te nemen en me realiseren dat ik alleen ben, omdat er niemand is die op me wacht, die iets van me vraagt of me ook maar ziet.

Nadat iedereen was vertrokken, kon ik de slaap moeilijk vatten, want ik had ineens niets meer te doen. Drie dagen maar. Er zijn drie dagen en nachten verstreken en ik kom maar niet op gang, omdat ik niet weet wat ik moet doen. Marianne is maandag niet komen opdagen en ik wacht nog steeds op haar. Matilde zegt dat ze zondag de bus naar de stad heeft genomen om telefoonkaarten en andere spullen te kopen en dat ze haar sindsdien niet meer heeft gezien. Ze zegt ook dat het zo beter is, dat ze haar zou afmaken als ze nog één dag in het pension was, dat ze niet weet hoe ik het deze weken met haar heb uitgehouden. Ze heeft gelijk. In alles. Dat het zo beter is en dat ze het niet begrijpt.

'Wat ga je doen?' heeft ze me gevraagd voordat ze ophing.

'Met Marianne?'

'Nee, Martina, niet met Marianne. Met jezelf.'

Haar stem klonk te midden van stromend water. Ze praatte onder het afwassen. Ze ging gewoon door.

'Daar moet ik eens goed over nadenken.'

Matilde kent me goed, omdat we hier al vele jaren samen hebben doorgebracht, ieder in haar eigen kleine wereld. We leven parallelle levens. Ze heeft de kraan dichtgedaan en haar stem afgedroogd.

'Mijn voorstel geldt nog steeds.'

Dat voorstel heeft ze het afgelopen jaar meerdere keren per maand herhaald, vanaf het moment dat mama's dood zich aankondigde en ze verder aftakelde. Matilde wil dat ik het grote huis aanpas en het verander in zo'n sfeervol hotel voor rijke mensen. Zij zal de zorg voor de gasten en de dagelijkse beslommeringen op zich nemen. Ik hoef alleen maar aanwezig te zijn. 'Geen lastige mensen,' zegt ze. 'Niet zoals degenen in mijn pension. Die rugzakjes en andere aanstellerij zitten me tot hier.' Ik zeg altijd dat ik erover zal nadenken, dat het zou kunnen, en dan wordt ze een beetje boos, omdat ze weet dat ik het er eigenlijk niet mee eens ben, dat het haar plannen zijn en dat ze niet op mij hoeft te rekenen. Daarna kalmeert ze en geeft ze me meer tijd. Matilde mag dan weinig geduld hebben, op haar manier mag ze mij wel, omdat we beiden even alleen zijn, en op onze leeftijd komt daar geen verandering meer in.

'Goed, als je een besluit hebt genomen, hoor ik het wel,' heeft ze gezegd. Daarna stroomde er weer water in de gootsteen. 'Nu moet ik ophangen, schat. Ik heb nog een afschuwelijke ochtend voor de boeg.'

'Oké, Matilde. We spreken elkaar nog wel.'

Dat was alweer enige tijd geleden. Sindsdien zit ik nog steeds aan de keukentafel, met een kop koffie in mijn hand en de dag nog voor me. Niets te doen. Er ligt nergens in het grote huis iemand op een schone luier te wachten, of op een luisterend oor. Ik loop al drie dagen als een slaapwandelaar door het huis en bekijk alles als een toerist in een museum, terwijl ik de spullen opruim die mama heeft achtergelaten: haar ochtendjas aan de deur van de kast, haar versleten pantoffels, het dienblad met haar medicijnen. Het zijn spullen die ook weg moeten, maar die ik nog niet wil weghalen, want zodra ik dat doe, verschijnt het onbeschreven blad en zal de leegte tegen me zeggen: je moet me vullen, Martina. Het leven, jouw leven, kan niet leeg zijn. Het is niet goed als het dat is.

De koffie is koud geworden en het huis komt zo groot op me over dat ik me er niet langer prettig in voel. Ik neem aan dat het een kwestie van tijd is, zoals met alles, en dat de gewoonte me zal leiden en me mijn huis zal laten terugvinden, mijn hoekjes en mijn routine. Ik neem aan dat ik zal leren om met opgeheven hoofd te leven en het niet meer te laten hangen zoals ik tot nu toe heb gedaan. En dat ik langzamerhand van de ene oever naar de andere zal gaan, van wat was naar wat komt.

Dat neem ik aan.

Voorlopig trek ik me terug in de keuken, want hier ruikt het nog naar hen. Hier zweven hun geuren nog, hun stemmen en hun gebaren: de witte verschijning van papa, zijn stem die is getraind om ruimtes te vullen en zijn gulle lach; de heldere ogen van Lucas, zijn arm in de mijne, het serene gebaar, ingehouden, verstandelijk, altijd zo volwassen, mijn kleine jongen, zo verdrietig; en ook Verónica, hard geworden door het leven, aangetast door wantrouwen, zo gelijkend op papa en zo lief en breekbaar. Hier hebben ze hun sporen achtergelaten en hier sluit ik me op om hen dicht bij me te hebben. Aan deze tafel kan ik ze voelen en urenlang tegen ze praten, of juist niets zeggen. Er gewoon zijn. Ik weet niet of ik daar verstandig aan doe, ik weet niet of dat gezond is, maar voorlopig is dat het enige wat me lukt, wat me op de been houdt. Zonder dat zou ik het niet volhouden. Nee, dan zou ik niet durven.

De zonnestralen stromen door het open raam naar binnen, en daarmee de geuren die elke minuut in de tuin worden geboren. Er is zo'n explosie van leven daar buiten, dat die me overstelpt met wat ik binnen niet aantref. Ik schaam me bijna. Ik schaam me ervoor dat ik verdrietig ben, omdat ik me egoïstisch voel. Ze maken het allemaal uitstekend. Ze zijn weer bezig met hun eigen dingen: papa gaat tussen gala's, platen en optredens door zijn leeftijd te lijf; Verónica laat de moed niet zakken en gaat door met haar strijd, consequent in haar halsstarrigheid; en Lucas … Lucas … ach, Lucas is mijn kleine jongen en ik kan alleen maar over hem praten en aan hem denken alsof hij hier is, want anders duizelt het me en doet het pijn.

Een windvlaag duwt het raam verder open, dat over het aanrecht heen gaat en tegen de muur botst. Aan mijn voeten tilt Primavera haar kop op en spitst ze haar oren. Ik aai haar met mijn vingertoppen tussen haar ogen, maar ze blijft waakzaam, en kijkt naar de deur.

'Wat is er, kleintje?'

Ze spant haar spieren en merkt helemaal niets van mijn aanraking. Ineens begint ze te grommen. Een kat in de tuin. Een vos misschien.

Zo blijven we enkele seconden zitten, totdat Primavera begint te blaffen en naar de tuindeur rent. Ik loop achter haar aan over het grindpad dat naar de voorkant van het huis leidt.

Als ik om de hoek van de toren kom, schijnt de zon recht in mijn gezicht en dwingt me mijn ogen even te sluiten, tot ik ze weer kan openen onder de bescherming van de schaduw van mijn eigen hand. Vervolgens knipper ik met mijn ogen, omdat alles baadt in het licht en omdat wat ik zie zo onwerkelijk is dat het geen betekenis heeft. Het is een moment van waanzin of van leugen, dat alles achter mijn ogen verdampt. Primavera springt en blaft als een levende springveer rond een stilstaande persoon die me zwijgend aankijkt vanaf de overkant van de vijver.

Ik weet niet of ik die figuur wil herkennen, want als het waar is, ben ik bang dat ik me vergis.

Het is papa, scherp afgetekend tegen de schaduwen van de kastanjebomen, met één hand in zijn haar en de andere aan de koffer op wieltjes die naast hem op het grind rust. Papa, jazeker, met zijn brede glimlach en zijn witte haar boven zijn witte pak, die al het licht van deze warme ochtend vangt. En ik ben ik, al voel ik dat nauwelijks, al kan ik dat niet geloven, omdat mijn keel zo dicht zit dat er geen woord uit komt, en als ik niets kan zeggen, weet ik niet wat er gaat gebeuren.

Het is papa aan de overkant van de vijver, op de andere oever, en op slag begrijp ik dat dit gebeurt, dat dit de werkelijkheid is, en mijn benen trillen zo erg dat ik ze in beweging moet zetten, anders worden ze gevoelloos en stort alles met mij in. Ik beweeg ze naar hem toe, naar het wit, en ik loop zo goed als ik kan om de vijver met slaperige vissen heen tot ik aan zijn kant kom, en daar is de kant al waar hij staat. Dichtbij is hij, en dichtbij zijn zijn ogen, als twee gaten waar ik precies in pas en waar ik wil zijn.

Hij glimlacht. Papa glimlacht naar me terwijl Primavera om hem heen rent als een maan om zijn planeet, voortgedreven door blijheid. Primavera rent rond en papa strekt zijn hand uit en legt hem op mijn wang, en laat hem daar, lijfelijk, enorm. En ik blijf hem aankijken terwijl ik zijn hand bedek met de mijne en zijn glimlach verandert in zijn stem.

'Het spijt me,' zegt hij. 'Het spijt me verschrikkelijk ...'

Ik krimp ineen onder zijn aanraking, omdat er zoveel warmte in zit, een warme gloed die uit het verleden komt en die hier is gesmeed, uit de aarde waar we beiden op staan. Ik maak me klein zodat mijn wang beter in zijn hand past, ik laat me door zijn hand knijpen als een handvol verse klei, zodat we nog dichter bij elkaar zijn en het leven zich hier met ons verenigt, aan deze kant.

Zodat het goed komt en terugkeert wat nooit had mogen sterven. Zodat we nog tijd hebben, alle tijd die we hebben verloren, ondanks de jaren, ondanks de oevers. Ondanks alles.

En laat het alsjeblieft veel zijn.

Zoveel ...

Zoveel tijd ...